CONTENTS

ORIX BUFFALOES
THE PERFECT GUIDE 2022

5 **中嶋 聡** 監督
勝って驕らず、変わらぬスタンス――。
頼れる策士、監督・中嶋聡の2年目の船出

10 V2のカギを握る男たち

12 オリックス、"リーグ連覇＆日本一"

16 吉田正尚 背番号「7」が辿り着く場所

18 山本由伸 楽しんだ先に見えるもの

118 **小林 宏** 二軍監督
チームの将来を担い
一軍の下支えを託された組織。
戦力強化の根幹を支える"もうひとつ"のオリックス・バファローズ

SPECIAL COLLABORATION

20 なにわ男子 藤原丈一郎 × 宗 佑磨
"96年組"が語り合うB愛 ―25年ぶりの歓喜と2022年の誓い―

25 なにわ男子 藤原丈一郎 Special グラビア

100 J-FUJIWARA名鑑

Bs 選手名鑑 2022

34 監督・コーチ
36 投手
65 捕手
71 内野手
80 外野手
90 新入団選手
98 チームスタッフ

30 オフィシャルファンクラブ「BsCLUB」
99 記録に挑む ～記録達成候補選手一覧～
102 パーフェクトデータベース 2022
104 Bs RANKING 2022
108 TEAM MASCOT
109 VOICE NAVIGATOR & UTAERU REPORTER
110 BsGirls Member List2022
114 一軍公式戦スケジュール／会場ガイド
116 TICKET GUIDE & INFORMATION
117 FARM INFORMATION
ファーム公式戦スケジュール／会場ガイド／ファームが街にやって来る！
126 社会貢献活動報告
128 SPRING TRAINING SHOT 2022
130 ORIX BUFFALOES 2021 RECORD ～昨シーズンの記録～

SPECIAL POSTER
なにわ男子 藤原丈一郎×バファローズ
PLAYERS LIST 2022

NAKAJIMA SATOSHI

中嶋 聡 監督

勝って驕らず、変わらぬスタンス――。頼れる策士、監督・中嶋聡の２年目の船出

長く続いた苦しい時期を乗り越え、新たなフェーズへと突入したオリックス・バファローズ。
その指揮を執るのが監督代行を含めて3年目を迎える中嶋聡監督だ。
多くを語らない寡黙な男だが、内に秘めた闘志と情熱は計り知れない。
そんな指揮官が目指すものは、リーグ連覇、そして96年以来の日本一。
チーム一丸となって、2022年も戦い抜く。

文●大前一樹

チームを変えた！
25年ぶりのリーグ制覇

２年連続最下位からの優勝。周囲の評価を覆し、チームを大躍進に導いた中嶋聡監督。何せ、ここ数年のＢクラスという“定位置”からリーグのてっぺんに引き上げた指揮官の手腕は大いに評価されてしかるべきであろう。さらに、その手法と流儀は新たな監督像をも創り出すに至ったといっていい。

二軍監督、監督代行を経て正式に一軍のタクトを振ることになった昨季。新監督は組閣の際に、指導者サイドの一軍、二軍の壁を取り払うという方針を打ち出した。シーズンが始まれば、自ずと首脳陣の振り分けは行われたが、春の宮崎キャンプでの指導では、各コーチがＡ・Ｂ両班の選手に対し分け隔てなく接していた。

その流れは今春も同じ。チームを「上・下」に分けるのではなく、はっきりとした意図（そこにはチームとして育成方針が深く関わる）を持って、選手の“区分け”が行われ、“全てのコーチ陣が全ての選手を見る”というスタイルをつくり上げた。このことがチームとしての一体感を醸成し、“一枚岩”の戦う集団に変えていくひとつの要因になり得たのは確かだ。

指揮官が口にした「変わらないとダメでしょ」の言葉通り、シーズンに入っても中嶋流の戦いの中から新しいオリックスの野球が見えてきた。その変化、もしくは変わろうという姿勢が選手のモチベーションを上げ、大きな成果を生み出していったことは既知の事実である。

勝利と育成
叶った双方の成就

昨季、指揮官が打ち出したテーマは“勝利と育成”。言葉の表面だけを受け取れば、向かうべきベクトルが曖昧な二律背反のテーマに思えたものだが、そう捉える側が単に浅薄な思考しか持ち得なかったと気づくことになる。優勝会見で監督が吐露した「育成とは単に若手を育てるという意味ではありません。中堅もベテランもない。チーム全体が、勝てるチームに育っていくということ。それが僕の言う育成です」という言葉。さまざまな事象やそれに伴う疑問も氷解し、腑に落ちた。

昨季の開幕戦。佐野皓大、頓宮裕真、太田椋、紅林弘太郎の名前がスタメンに連なるのを見て、「若手の起用、まさに育成！」と感じたのは余りにも早計だった。この時点での起用には意図があった。もちろん、大いなる期待を抱いてのスタメン抜擢ではあるが、前の段で述べた、チームの変化を促すひとつの方策を示したのだ。「勝てなかったそれまでと同じではダメ。変わるためのひとつの方法として、起用する選手を変えることもひとつの手段」だという指揮官の真意がみえた。確かに、交流戦までは、チームの“変化”を求める指揮官の“やり繰り”が見

られたのも事実。勝つための形を現有戦力の中で模索し、つくり上げようとしていた。その結果、センター・福田周平、サード・宗佑磨の１・２番が誕生し、杉本裕太郎は４番に固定された。さらに、紅林弘太郎はショートに抜擢され、安達了一はセカンドに配された。これらチームとしての大きな変化がチームの成長につながっていった。育成というテーマをクリアし、それが勝利という産物に置き換わるという好ましいスパイラルを生み出したのだ。まさに、指揮官が掲げた"勝利と育成"が成就したのである。

選手ファーストで最大限の効果を

昨シーズンから、指揮官の一貫した姿勢として見て取れたのは、"選手ファースト"の環境づくりに心を砕いていたという事実だ。「選手が失敗したとしても、それは選手の責任ではない。使った側、作戦を指示した監督の責任。だから、思い切ってやってほしい」というコメントはシーズンを通して不変だった。さらにこう続ける。「失敗したら、それで終わりではない。今度、頑張ってもらいましょう」と。次への期待を添えるという心配りも絶妙だ。実際、失敗した直後に、挽回のチャンスを与えて、選手の"やる気"を見事に引き出してきた。

選手とのコミュニケーションの取り方も実に巧みである。「監督とは特別な存在であってはならない」という中嶋監督の考えに根差した言動は、選手と指揮官との距離感を感じさせない雰囲気をつくり上げた。昨季大ブレイクした杉本裕太郎が「うまくいかないときや、失敗した翌日に、すごく良いタイミングで声をかけてくださって……。何気ない会話だけどありがたいです」と言えば、吉田正尚の離脱を受けて3番を任され、重圧を感じていた紅林弘太郎も「"お前は3番打者じゃなくて、単に3番目を打っているだけ"と言ってもらえて気が楽になりました」と中嶋監督の心配りに感謝する。

この春の宮崎キャンプでも、メイングラウンド、サブグラウンド、ブルペンなど各所を精力的に動き回り、行く先々で分け隔てなく選手に声をかけ、時にはジェスチャーを交えながら指導する監督の姿があった。技術面のみならずメンタル面にも配慮するその姿勢は、自ずと指揮官と選手の距離を縮め、信頼関係を築き上げる。これもまた、監督・中嶋聡の流儀なのであろう。

野球通オーナーも認める"プロフェッショナル"な監督

春季キャンプを目前に控えた１月21日、京セラドーム大阪で記者会見が開かれた。宮内義彦オーナーが今シーズンの終了を以って、33年間のオーナー職に区切りをつけるという事実がオーナー自らの口で告げられた。その席上で、宮内オーナーは25年ぶりにチームをリーグの頂へと導いた中嶋監督に感謝と賛辞の言葉を贈っている。

「長い現役生活とコーチ留学も含めた豊富な経験で、指導者としてのベースと実践を戦うバックグラウンドを持っている監督。これら双方が合致するまさに"プロフェッショナル"な監

督だと思います」と。日本一のオリックス好き、野球通である名物オーナーからの言葉が軽かろうはずはない。
　指揮官が歩んできた阪急、オリックス、西武、横浜、日本ハムでの29年にも及ぶ現役生活で、得たものの大きさは計り知れない。入団間もない阪急では郷土の先輩であり、球界最高峰のサブマリン・山田久志から薫陶を受けた。その後は野田浩司の１試合19奪三振という日本記録をアシスト。さらには佐藤義則の40歳11カ月でのノーヒットノーラン達成の瞬間に立ち会った。また、長谷川滋利、松坂大輔、斎藤隆、ダルビッシュ有、大谷翔平（試合でのバッテリーは実現せず）ら、後に活躍の場をベースボールの本場・アメリカに求めた偉大な投手たちのボールもマスク越しに見て、自らのミットで受けた。
　誰もが有し得ない経験とそこで培われた感性こそが、指導者・中嶋聡の根っこの部分にはある。それが、宮内オーナーが言う指揮官としての“ベース”であり“バックグラウンド”にもつながっているのであろう。17歳（３月生まれのため）でプロの門を叩いてから36年。プロであり続けることの“プロフェッショナル”。中嶋流の奥底に潜むキーワードなのだ。

連覇を狙えるのは俺たちだけ！貫く中嶋流

「昨年の優勝は関係ない。ゼロからのスタート」と言い切って臨んだ今春のキャンプ。昨季の長きにわたる激闘、真剣勝負の疲労を考慮して、宮崎での“初動”は比較的静かなものだった。故障明けの選手にはあえてスローペースの調整を課し、東京オリンピックに日本シリーズとフル稼働だった山本由伸には決して無理をさせなかった。「僕としてはオフのトレーニングも順調に重ねてきたし体調も良い。投げられるのですが、周囲が止めてくれています」と本人が言うほど。昨季投じた3472球の重みを配慮した形だ。
　それでいて、競争を静かに煽るあたりも絶妙だ。即戦力の新人選手を獲得することで、レギュラー陣にはそのポジションでの安住を許さない厳しい姿勢を鮮明に打ち出した。このことが選手たちの闘争心に火を灯したに間違いない。連覇は難しいもの。だからこそ、中嶋流を貫き通す中で、チームの強化にその歩みを止めることはない。春季キャンプという本番に向けた準備期間を振り返る際、「（キャンプの）総括なんてできない。勝負してはじめて、その練習や取り組みが正しかったかどうかわかるわけで、その結果がわかるのは場合によっては数年後だってこともあるのだから」と、サラリと流す。これもまた、中嶋監督らしい言葉である。
「連覇を狙えるのはウチだけ」と、自信とプライドを持って挑む2022シーズン。日本一を逃したリーグ優勝からの日本シリーズ制覇。目指すは四半世紀前の道程をトレースすること。「固定観念に囚われていてはいけない。臨機応変に」キャンプ最終日に指揮官が発した言葉が重い。
　“全員で勝つ”、そして“全員で笑う”。2022年、新たな歴史を刻むべく、スキッパー・中嶋聡のもと、オリックスの航海が始まる。

歓喜を

再び——V2のカギを握る男たち

V^2のカギを握る男たち

オリックス、“リーグ連覇＆日本一”への道

「がんばろうKOBE」の記憶

あれから四半世紀、再び同じ歴史を歩むことができるのか。

1995年、1月17日に起こった阪神・淡路大震災。その悲しみから、「がんばろうＫＯＢＥ」を合言葉に球団とファンが一丸となり、力強く立ち上がった。約３万人が駆けつけた開幕戦での勝利から、前年にシーズン200安打を達成したイチロー（高卒４年目、当時21歳）を旗頭に、大卒４年目の田口壮、新外国人のニール、Ｄ・Ｊらが強力打線を構築し、投手陣では長谷川滋利、星野伸之、野田浩司が２桁勝利を挙げる活躍を見せ、ルーキーの平井正史が守護神として15勝＆27セーブを記録。６月に首位に立つと、そのまま快進撃を続け、９月19日に仰木彬監督が宙を舞って11年ぶりのリーグ優勝。被災地復興のシンボルとなった。

そして翌1996年も、チームは強さと勢い、団結力を継続し、信念を貫いた。７月までは大混戦の中で２位に甘んじていたが、１番の田口壮から、大島公一、イチロー、ニール、藤井康雄と続く“ブルーサンダー打線”が得点を重ねると、前年のメンバーにフレーザーを加えた先発陣、そして鈴木平らの救援陣も奮闘。８月後半から連勝街道を歩んで首位に立つと、９月23日に延長10回裏にイチローのサヨナラ打で悲願の本拠地優勝。迎えた日本シリーズでも巨人を４勝１敗で下し、19年ぶりの日本一に輝いた。

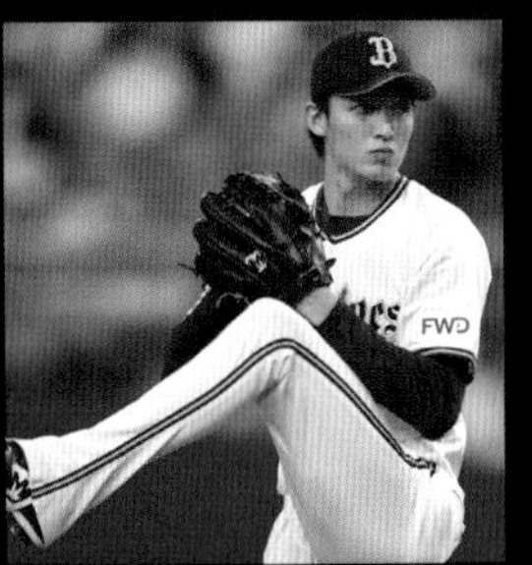

さらなる成長が期待できるチーム

時代は巡り2021年、オリックスは25年ぶりの栄冠を手にした。投手陣では高卒５年目の山本由伸、高卒２年目の宮城大弥のふたりが左右の２枚看板として躍動し、打線では吉田正尚、杉本裕太郎の主軸が爆発。彼らを中心に、25年前に正捕手を務めた中嶋聡監督のもと「全員で勝つ」を合言葉に団結し、熾烈な戦いの中で投手陣では田嶋大樹、漆原大晟、富山凌雅、山﨑颯一郎、野手陣では宗佑磨、紅林弘太郎といった10代から20代中盤の若手が大きく成長。平野佳寿、比嘉幹貴、T-岡田、安達了一らのベテランが奮闘する中でも、今後の“伸びしろ”も大いに感じさせる戦いぶりで、前年最下位からの“下克上”でのリーグ制覇を成し遂げた。

“楽しみ”は、続く。現チームには、本田仁海、山下舜平大、太田椋、来田涼斗、宜保翔、元謙太と将来性豊かで絶賛成長中の若手の逸材が揃い、新たに昨秋のドラフトで最速154km/hの剛腕・椋木蓮、強肩強打の即戦力内野手・野口智哉、抜群のキャプテンシーでチームを勝利に導く捕手・福永奨、類稀な俊足にセンスが光る渡部遼人らが加わり、今春のキャンプから早速アピール。山﨑福也や山田修義、福田周平といった働き盛りの面々に、伏見寅威、若月健矢、頓宮裕真の優勝捕手陣も健在で、昨季手術を受けた山岡泰輔の完全復活も期待できる。

今季のスローガンは「全員でW（笑）おう！！」。リーグ連覇と日本一と2つの「V」を重ねた「W」を目指す。団結力を高め、勢いを継続した中で「リーグ連覇」を果たし、前年に逃した「日本一」を翌年に成し遂げるのは、四半世紀前と“同じ流れ”。歓喜を再び。歴史は必ず、繰り返す。

V2のカギを
7
YOSHIDA
MASATAKA
Buffaloes
Ponta

握る男たち

18

YAMAMOTO
YOSHINOBU

YOSHIDA MASATAKA

吉田 正尚

背番号「7」が辿り着く場所

昨年末に受けた両足首手術の影響で、本体よりも遅れて宮崎春季キャンプに合流した
選手会長の背中にはナンバー「7」が光っていた。
慣れ親しんだ「34」との決別が意味するものは何なのか。
そんな思考を巡らす僅かな時間で、新たな背番号に対して抱いた"違和感"は消えていた。
そう、オリックス・バファローズの「7」は吉田正尚なのだ。
連覇、そして日本一を目指すチームの中でも、7年目の主砲の存在感は絶大。
進化止まない"求道者"が目指すものは何か。新たなシーズンを前に、その決意を口にする。

取材・文●大前一樹

不安を取り除いて迎えるシーズン

——昨年12月に両足首の手術をされましたが、その後の経過はどうですか？

今年の春季キャンプは舞洲スタートになりましたが、宮崎には第3クールから合流できましたし、日々、練習の強度やプレーの出力も上げていけました。順調だと思います。

——今年は特に短いシーズンオフだったので、心配していました。

そうですね。正直、手術に踏み切るかどうか、迷いはありました。でも、また痛みを抱えながらプレーするよりも、ある程度（練習の）スタートに遅れはあったとしても、開幕に間に合わせることを目指そうと決心しました。自分の中の不安を取り除きたいという思いが強かった。まぁ、ずっと野球をやっていると、痛い所はひとつやふたつではないですよね（笑）。

——なるほど。さまざまな不安との闘いなんですね。

ケガを防ぐためにしなければならないことは当然ありますが、自分の体と相談しながらムリできる範囲ではムリもする。そのあたりの「だめかな？」という不安と、「いけるだろう！」という期待のバランスが難しいですね。

——それでも、練習のスタートは1月からでしたね。

自分の中で、いつも練習始めは1月5日と決めているんです。今年もそうでした。だから、1年の始まりはいつもと同じ。ただ、普段なら少しはゆっくりできていた11月に厳しい試合もありましたし、12月ももろもろの行事があって、あっという間にオフの期間が過ぎていきましたね（笑）。

V争いの中で感じたチームの成長

——昨年は故障もあって、2017年10月から続いていた連続出場が512試合でストップしてしまいました。

個人の記録もそうですが、チームにとって大切なシーズン終盤の離脱が自分としては悔しかったですね。東京オリンピックが終わって、本当の首位争いをチームが演じているときに迷惑をかけてしまいました。

——チームメイトは「正尚さんが戻ってくるまで！」という思いで戦っていたと思いますが、そんな姿をどうご覧になっていましたか？

ベンチに吊り下げられた僕のユニフォームがよくTVに映っていましたね（笑）。そんな画面越しに、みんなの"勝ちたい！"と思う気持ちは伝わってきましたし、接戦を制して勝っていくチームのたくましさも感じました。日替わりでヒーローが生まれて、"強いなぁ"と（笑）。

——右手首の骨折からの復帰はクライマックスシリーズ（以下、CS）ファイナルステージ。間に合いましたね。

そうですね。CSに関しては、ファーストステージからなのかファイナルからなのか、分からない状況でしたが、なんとかそこに合わせることを目標にリハビリに取り組んでいました。

——日本一には届かなかったものの見事なリーグ優勝とCS突破でしたね。

25年ですものね。それだけの長い間勝てなかった要因は必ずあったはずです。ただ、そこはチームとしてひとつ乗り越えられた。昨年の戦いを振り返ったとき、日本シリーズも紙一重でしたし、CSだってそう。日本一にも届きそうだったし、CS敗退だってあり得たわけで……。

連覇を目指すチームの"今"

——さて、優勝を成し遂げたあとの春季キャンプを過ごされたわけですが、以前との違いは感じられましたか？

いや、特に変わらないですね。浮かれたムードなど微塵も感じられません。僕らも前年の最下位からの優勝でしたし、どのチームにも力があって、どこが優勝するなんてまったく分からない。だから、オリックスとしても上から構えて、受けに回ってはいけない。僕らもまたチャレンジャーです。

——シーズンが変われば、各チームスタートラインは同じです。

そうです。だから慢心なんてありえない。選手個々にしても、それぞれの課題と向き合い、常に不安と戦っています。それらを打ち消すための練習であり、本番に向けての準備なのです。昨年は昨年。この世界は切り替えが大切。そこがうまくできるかどうか。成功して浮かれない。失敗して引きずらない。それが大切。チームとしても、そのあたりはしっかりと新たな気持ちでシーズンに向かっていると思います。

——連覇へのポイントは？

連覇をするのは簡単なことではないですからね。143試合、厳しい戦いになることは容易に想像できます。とにかく選手一人ひとりがその日のベストを尽くす、その積み重ねだと思います。誰しも、好・不調の波はありますから、そこをチームとしてカバーし合えるかどうか。故障もあるわけで、そのバックアップ体制も重要です。そのためには、チームとしての力、層の厚みがモノを言うのではないでしょうか。

——チーム内での競争も激しさを増してきましたね。

チーム内の競争がチーム力を高め、さらにはそれが相手チームとの競争に勝つ原動力になる。

チームとしての力強さ、厚みは感じられますね。

背番号「7」が目指すもの

——さて、新しい背番号「7」に触れないわけにはいきません！

きましたねぇ（笑）。「34」も僕が望んでいただいた背番号だったので、愛着もありました。だから、正直悩みました。変えるか変えないか、日々気持ちが揺らいで、行ったり来たりとモヤモヤしていたんです。

——変える決心の背中を押したものは？

娘の誕生日（7月7日）の数字に由来するのはひとつの大きな動機づけになりましたし、7年目のシーズンを新たなスタートとして位置づけたい思いもありました。

——さらに「34」の「3」と「4」を足せば「7」になりますね！

そう、それもありますね（笑）。あと、ブライス・ハーパー（吉田正尚選手が好きなメジャーリーガー）も「34」から「3」に背番号が変わっていますから、いいかなって（笑）。

——その「7」番はよく似合っていてカッコいいですよ。

実際にユニフォームを着ている僕には見えないのですが……。最初は違和感を覚えてしまう方も多いかもしれませんね。ただ、やはり“1桁”の背番号はシンプルにカッコいいですよね。

——同時に重みも感じられるのでは？

そうですね。球団としても「7」は偉大な先輩が受け継いでこられたものとして大切な背番号でもあるので、責任の重さを感じています。だからこそ、“オリックスの「7」番は吉田正尚”という確固たるイメージを築き上げていきたいですね。

——さぁ、背番号「7」で迎えるシーズンが始まろうとしています。

チームとしてはリーグ連覇、日本一というところを目指していかなければなりませんし、僕個人としても、打撃の全ての部門でタイトルを狙えるような数字にもっていきたいですね。そして、新たな背番号「7」番像をファンの皆さまに示せればと思っています。

＊＊＊

立ち居振る舞いや言葉の端々か伝わるのは、吉田正尚の“静”の部分。その印象は入団以来不変である。彼の正確無比で豪快なスイングと、普段の独立不羈（どくりつふき）のたたずまいとのギャップがまた彼の魅力のひとつでもある。今や、野球少年のみならず、プロ選手までが憧れる存在の背番号「7」。“和製ハーパー”からの卒業で、彼が目指す辿り着くべき“境地”とは……。今後も彼のプレーの中から見届けていきたい。

V2のカギを握る男たち

YAMAMOTO YOSHINOBU

山本 由伸

楽しんだ先に見えるもの

今や日本プロ野球界の中でもエース格にまで成長を遂げた山本由伸。
入団以来の見事なまでの"右肩上がり"、しかも急勾配に傾く成長線には、ただただ驚かされるばかり。
昨夏の東京オリンピックでは、自国開催という重くのしかかるプレッシャーをはねのけ、
侍ジャパンの中核投手として、金メダル獲得に大きく貢献する投球を披露。
そしてオリックスに25年ぶりの優勝をもたらす奮投は観る者の心に鮮やかで強烈なインパクトを残した。
日本を代表する"18"番は、自らの"現在地"を冷静に捉え、次なるステップへと歩を進める準備を怠ることはない。
「自分は天才ではない」と言い切る"才"を有する若者が目指すものとは。
昨年、叶わず届かなかった日本一に向けて。気負いのない言葉の中から、彼の自信と信念が見えてくる。

取材・文●**大前一樹**

由伸流で過ごした6年目の春季キャンプ

――春季宮崎キャンプではしっかりとした計画の中での調整に見えました。

そうですね。特に急ぐ感じもなく、やりやすい環境の中で充実した練習ができました。午前中に全体練習があって、午後からは個人練習というスケジュールで、自分の課題にもしっかり取り組めましたし、結構あの練習スタイルは気に入っていたんですよ（笑）。

――日本シリーズ終了からキャンプまでのインターバルが非常に短かったわけですが、その間のオーバーホールや調整も簡単ではなかったのではないですか？

確かにそうですね。ただ、キャンプまでの2カ月間もしっかりと準備はしてきましたし、自分としては後悔しないくらいの練習をしたので、キャンプに入って行く中での不安はなかったです。

――どうしても、昨年投げた試合数や球数を見ると、そのあたりを心配してしまいます。

そうですね。周りが気を遣ってくれているのはよくわかります（笑）。確かに、探り探りの部分がないわけではなかったのですが、実際のキャンプでの練習では自分としていい感じに取り組めました。なので、安心してください（笑）。

――キャンプでの個人練習では、山本投手独自の練習なども見られました。よく、取り上げられるのは、あのやり投げ、ジャベリックスローが注目されますが。

あれは僕のトレーニングの中のほんの一部分にしか過ぎないものです。プロに入ってから、ずっと続けているトレーニングがあって、その中のメニューのひとつに、やり投げトレーニングがあるわけで。皆さん、あの練習ばかりを注目されますが、あれだけを切り取って僕のトレーニングは成り立ちません。

――山本投手のトレーニングを参考にしたいという選手も出てきていますよね。

そうですね。ただ、あのやり投げの練習だけではダメだと思います（笑）。

"野球を楽しむ"が今も昔も由伸流

――昨シーズンの獅子奮迅の活躍で、もうひとつの心配が……。東京オリンピックを挟んでの長いシーズン。その中では、フィジカル面のみならず、メンタル面でのタフさが求められました。精神的な疲労は感じなかったのでしょうか？

"負けられない"という試合での緊張感があったのは事実です。ただ、そこでも試合に集中する中で、僕なりに楽しみながら投げられましたし、気が付けば野球に"夢中"になっている自分がいたんです。それは、オリンピック、クライマックスシリーズ、それに日本シリーズでも同じ感覚で投げられました。だから精神的に"キツい"という感覚はなかったですね。やり切った後に、「楽しかった！」と思える瞬間が最高に好きですね（笑）。

――メンタルが強い！

とんでもない！ 強くないです、メンタル（笑）。弱い人間ですよ。でも、野球を"楽しむ"という気持ちは大切にしています。僕は、野球を始めたころから指導者の方々に、本当に恵まれていて、小学生の頃から野球は"楽しい"ものだと感じてきました。その気持ちはプロに入ってからも変わりません。ただ、だんだんと"難しく"なってきますけど（苦笑）。だから、一所懸命練習するんです。

――確かに野球のレベル、ステージが上がるごとに難しくなってきます。

だから、練習をする。それしかないです。今まで、やってきた練習を信じて、やり続ける。それでも、自分の中でまだまだ満足できていないトレーニングだってありますから。ただ、野球は楽しいものだから、頑張れますね。

――野球道、ひと筋ですね！

いやぁ、もちろん気分転換も必要ですし、他にも野球と同じくらい楽しめるものだってありますよ（笑）。ただ、今、自分がなすべきことを考えたとき、私生活も含めて野球中心になりますね。

連覇に向けて……エースとしての責任と自信

――昨季は負けないエースとして15連勝でシーズンを終えることができました。

正直、連勝ということに対する意識はありませんでした。「負けたくない、勝ちたい」という意識は常に持っていましたが、とにかく任せてもらった試合に向けて、1週間しっかり準備をするということを、第一に考えていました。あとは、僕が投げる試合に集中するだけ。やるべきことをしっかりやる。それだけです。

――優勝争いをするなかで、山本投手を含めてチームの成長を感じることはありましたか？

ひとつの試合の重みが違いますね。勝てば優勝に近づくし、負ければ目標が遠のいてしまう。そんな状況で試合をすることが、これまでは僕も含めてチームとしてもなかなかなかったわけです。それでも、接戦を制したり、逆境を跳ね返したり、大きな連勝もありました。チームとしての粘りというか、それらは確実にチームとしての力がついてきた証だと思います。

――なかには、山本投手のことを天才と称する人がいますね。

絶対、違います（笑）。僕は決して天才なんかじゃない。そんな風に思ったことなんてないです。この世界、才能だけで活躍している選手なんていませんよ。元々、才能豊かな選手が鍛錬を重ね、力と技術を常に磨き続けている。そんな姿を見ているからこそ、自分としても「もっと！」と思えるわけです。プロのレベルで「もうこれでいい」なんてことはないと思います。だから、今に満足してはいけない。

――そう思えることが、すでに才能なのかもしれませんね。昨季は沢村賞を始め、投手部門のタイトルを総ナメにしましたが、タイトルへのこだわりは？

特にありません（笑）。ただ、負けたくないという気持ちは強いですし、結果として一番になれたらいいと思いますね。僕から「タイトルを獲る！」と言う後輩がいるようですが、まだまだ負けません！

――さて、リーグ連覇に向けてのシーズンが始まります！

そうですね。昨季は最後の最後で日本一を逃した悔しさは残っています。人間、嬉しかったことより悔しい思いの方が後に残りますからね……。でも、日本シリーズに勝つためには、その前のパ・リーグを制するという大きな目標があるので、まずはそこですよね。チームとしても昨年の経験は大きなプラスになったと思いますし、今年もみんなで挑戦していきたいと思っています。

―そのためには、山本投手の活躍は欠かせませんね！

昨年は3月の開幕戦から始まって、11月の日本シリーズまで、さまざまな経験をさせていただきました。それらが自分の中での成長につながっているはずだと信じていますし、勝つための準備、練習にしっかりと向き合ってきました。リーグ連覇、日本一を目指して、力を尽くしていきたいと思っています。

＊　＊　＊

チームのみならず日本球界を背負うほどまでに成長を遂げた24歳。その進化は未だ、止まるはずもない現在進行形。決してブレないスタンスを保ちながらも、コーチ陣や仲間からのアドバイスにも素直に耳を傾ける柔軟な姿勢も素晴らしい。すべては、もっとうまくなるために。「野球が楽しい！」と無邪気に笑える“才”を、確かに山本由伸は有している。

［スペシャル対談］

“96年組”が語り合うB愛

～25年ぶりの歓喜と2022年の誓い～

（なにわ男子）**藤原丈一郎** × **宗 佑磨**（オリックス・バファローズ）

生まれは同じ1996年。そう、オリックスが日本一に輝いた年である。あれから25年、「2番・サード」としてリーグ優勝に大きく貢献し、ベストナイン＆ゴールデングラブ賞を受賞した宗佑磨と、ジャニーズの7人組アイドル「なにわ男子」のメンバーとして活躍する傍ら、熱狂的なオリックスファンとして声援を送り続けてきた藤原丈一郎のプロ野球界＆芸能界を代表する“若手のホープ”が今春、“初対面”した。

同じハイライト映像に映った仲

——学年は違いますが同じ1996年生まれです。そして「昨年ブレイクした」という共通点もあるかと思います。小学生の頃からの筋金入りのオリックスファンである藤原さんにとって、宗選手はどのような存在ですか？

藤原　もう、憧れの存在です。

宗　いやいやいや(笑)。

藤原　いや、ホンマに！ やっぱりこう、年の近い選手がプロ野球で活躍していると、その姿を見て「自分も頑張ろう」と思えますね。昨年も球場に何度か試合を観に行ったんですけど、めちゃくちゃ格好良かったですよ。

宗　僕がサードで、ファウルフライ捕るとき、いましたよね？

藤原　え!? 気づいていたんですか!?

宗　そのときは気づかなかったんですけど、ファンの人が撮ってくれた写真を見ていたら、「これ、ファウルフライ捕ったときの写真ね……あれ？ 丈一郎くんおった！」みたいな……（笑）。

藤原　あれは七夕のとき！ 僕が『大商大シート』に座っていたら、宗選手が近くまで来て……で僕、テレビのハイライト映像にも映ったんですよ！ 周りからめっちゃ言われましたもん、「お前、映ってるやん！」って。

——応援しているチームの試合のハイライト映像に映るなんて、ファンとしてはすごくうれしいことですね！

藤原　はい（笑）！ でも、事務所からは「前の方に座るのはやめてください」って言われました(苦笑)。でも、宗選手と一緒に映れたのは、すごくうれしかったです。昨年、宗選手がロッテ戦（10月12日）で小島（和哉）投手から8回に同点ホームランを打った後の涙はもう僕、ものすごく感動しましたし、やっぱり男の涙って、格好いいなって……。僕、どちらかというと感情を表に出したりしないタイプなので、すごく尊敬しています。

宗　泣きたくはなかったんですけどね（笑）。

藤原　いや、あれ格好良かったですよ!!

宗　恥ずかしいです……。

藤原　グッと抑えているところが、めちゃくちゃ格好良かったです。

宗　本当は僕、冷静にやりたいタイプなんですよ。けど、なんか出て来ちゃうもんはしょうがないですよね（笑）。

——反対に、宗選手から見て、芸能界で活躍する藤原さんはどのように見えますか？

宗　ジャニーズの世界って想像がまったくできないですけど、もちろん昨年CDデビューされたのは知っていますし、CMにも出て、テレビでいっぱい見るようになりましたよね。

藤原　ありがとうございます！ でも、野球選手ってテレビ見るんですね!?

宗　ははは（笑）。見ますよ！ 出始めの頃、再現ドラマとかに出ていたのを覚えています。女の人に振られるか振られないか、みたいな。

藤原　わぁ～！ うれしいです。でも、めっちゃ緊張しますね。「野球選手に見られている」っていうのが一番緊張しますね。

宗　結構、見てますよ（笑）。場所は違っても同世代で活躍している人というのは刺激になりますよね。僕なんかはまだまだですけど、同い年として高め合っていきたいなと思います。

――今や芸能界を代表するオリックスファンである藤原さんですが、小学生の頃からのファンということですが？

藤原　そうですね。ずーっと応援していて、年間シートも3年くらい前から買っています！

宗　年間シートを買うって相当ですね。

藤原　それで、自分たちが京セラドームでライブをしたときにスタンドを見て「あ、俺の年間シートに座ってるわ」って（笑）。それで、昨年ですよ。僕のお母さんとお姉ちゃんも、めっちゃオリックス好きになったんです。

宗　昨年から!?

藤原　今までは「はいはい。また行くんやね。いってらっしゃーい」みたいな感じやったのに、「私も行きたい！」って言い始めて。で、僕のお姉ちゃんが宗選手のタオルを買っていました。

宗　マジっすか！ お買い上げありがとうございます！

藤原　ちなみにお母さんは、（山﨑）颯一郎投手でした（笑）。

宗　顔、カッコイイですからね！

藤原　でもお姉ちゃんは言っていましたよ。「ムネ、いいよ！」、「守備がカッコイイ！」って。お姉ちゃんは、どっちかというと守っている時間をめっちゃ集中して見ています。何と言ってもゴールデングラブ賞ですからね。おめでとうございます！

宗　ありがとうございます！

藤原　パ・リーグTVとかYouTubeとかで「グラブさばきがすごい集」みたいな動画があるじゃないですか？ 見たりします？

宗　見ます、見ます。自分がプレーしている動画も見ます。他の選手との違いや、自分が「実際、どんな動きしているのかな？」って思って、見たりします。

藤原　宗選手がファインプレーをしたときは、ファン的に「自分がすごい」って思っちゃうんですよね（笑）。「お宅のチームの選手、それできます!?」って。「僕らの宗は、できるんですよ！」って。めちゃくちゃ胸を張れるんです。

宗　いやいや、まだまだですよ(照笑)

充実した2021年の中で感じたもの

――改めて昨年のオリックスは非常に大きな成果があった1年だったと思いますが、チームの戦いぶりを見ていかがでしたか？

藤原　とにかく歯車がかみ合ったシーズンでしたよね。長年、なかなか優勝という成果を手にできなかった分、ファンとしても非常にうれしかったですし、一昨年に岸田（護）投手が宣言した「来年、絶対強くなります！」との言葉を有言実行にできたので、すごく楽しかったです。優勝はもちろんですけど、シーズンが進むにつれて、スポーツニュースでオリックスの尺がだんだん長くなっていったのが、僕としてはめっちゃうれしかったですね。

宗　以前だったら、ありえないことですもん。

藤原　いやいや、ありえないことはない！

宗　いやいや、ありえないですよ(笑)。

藤原　僕、ちゃんと携帯のタイマーで尺を計ったんです。「巨人〇秒、オリックス〇秒」って計ったら、勝ったんですよ！

宗　本当ですか!?

藤原　本当です！ そのときは俺、「来た！」って思いましたね。「ついに来たぞ！」って。それで僕、テレビ局でスポーツ担当の人に会ったときに「オリックスの尺、短くないですか？」って結構、言っているんです（笑）。「何で巨人と阪神は初回の攻防から紹介しているのに、うちのオリックスは何で9回からなんですか？」って。実は陰ながら、微力ですけど、オリックスファンの人が思っていることを代弁させてもらっています。

宗　言ってくれているんですね（笑）。ありがとうございます。

――"うちの"という部分にオリックス愛を感じますが、本当にファンの方に楽しんでもらえた1年だったと思います。その中で、実際にグラウンドでプレーしていた選手からすると、ファンの声援、盛り上がりというものはどのように感じましたか？

宗　コロナ禍が続く中で、昨年もなかなか球場に来てもらうことができなかったり、制限されたりしましたけど、その中でもスタンドのファンの声援は力になりました。特にシーズン終盤はものすごく活力になりました。改めてファンのありがたさを感じましたし、ファンの存在はすごく大きいなと思いましたね。

――ファンの存在、声援の大きさはジャニーズも同じだと思います。

宗　ジャニーズは、すごいですよね……。僕たちへの声援とは、種類が違います。実際に身近で見たこともありますけど、本当にすごい。「これが黄色い声援かぁ～」って思いましたもん。僕も黄色い声援がいいな～って。

藤原　ははは（笑）。僕、言いたいことがあるんですけど、いいですか？

宗　もちろん、いいですよ。

藤原　オリックスのインスタグラムって、すばらしいですよね。他の球団はそこまでアップしていないんですよ。他の球団の今までの投稿数が「何百」とか、多くても「何千」なんですけど、オリックスだけ「何万」なんですよね。

宗　そうなんですか!?

藤原　そうなんです。それで、これは僕の独自調べですけど、インスタの投稿数と昨年の順位が比例しているんですよね。だから、もしかするとインスタ投稿すればするほど……。

宗　勝てる!?

藤原　はい！ しかもインスタライブで、普段は見ることができないチームの内側や雰囲気を見ることができて、「なんか、いいなぁ」って思うんです。『なにわ男子』もインスタしているんですけど、見習いたいと思いながら、いろいろと勉強させてもらっています。

宗　確かインスタでいろいろやるようになったのは、コロナ禍になってからじゃないですかね。ファンの方々が球場に見に来ることができなくなったので、その代わりに自分たちで練習風景とか試合前のベンチとか、いろいろと撮影して見せ始めるようにしたと思います。反響があるのはうれしいですね。でも「勉強」ってほどでもないと思います（笑）。

藤原　いやいや。すごくためになっています。僕自身、オリックスのファンなので、『なにわ男子』のファンの気持ちがわかるというか、僕がオリックスのチームや選手に「こんなことされたらうれしい。じゃあ、こういうことを『なにわ男子』のファンに向けてもやろう」って考えることができる。オリックスファンでありながら、たくさんのことを学べるんです。

宗　なるほど。そうかぁ……申し訳ないですけど、僕自身はそこまで考えられていなかったかもしれないです。プロ野球選手もファンあってのものですし、人前に出る仕事だと思いますので、すごく勉強になります！

――普段、コンサートなどで大勢のファンの前に立ったときは緊張する方ですか？

藤原　緊張しますね。でも、ライブとかコンサートのときと野球の試合をするときでは、同じ京セラドームでもぜんぜん雰囲気が違いますよ

ね。やっぱり試合には試合の、独特の緊張感があるというか……。
——宗選手も試合では緊張する方ですか？
宗　します。毎試合、吐きそうになっています。
藤原　えぇ!?
宗　そうなんですよ。でも多いですよ、試合前にめっちゃえずいている選手って。
藤原　まじすか！　でも宗選手って、チームの中でも「元気印」っていうイメージがあるんですけど……。
宗　そんなことないんですよ。
藤原　ファンは結構、そう思っていますよ！
宗　まぁ、それはあるかもですね。僕の本来の姿と試合で出ているときの姿って、ちょっと違うというか。「明るいキャラだ」って思われているっていう自覚はあるし、自分でつくっている部分はあるんですけど、その裏では……オエオエ、しています（苦笑）。
藤原　確かに、ちょっとわかるかもしれないです。僕もライブ前とかは「はぁ〜、やばいなぁ〜」って思いますもん。始まっちゃえばいいんですけど、始まる前が一番緊張します。
宗　そうですよね。それ、わかります。
藤原　たぶん、大勢の人の前に立つときって、みんな緊張しますし、みんな一緒かもしれないですね。
——本番前から本番へ、自分の中での“切り替え法”みたいなものはありますか？
宗　切り替えるというか、緊張するのはしょうがないので、その状況を受け入れるというか。絶対に緊張するものなので、緊張した状態で自分のパフォーマンスを出すことを目指す。一回、冷静になって考えてという感じです。
——ペナントレースが始まれば「オン」と「オフ」の切り替えも大事になってくると思います。普段、自宅では何をして過ごしていることが多いですか？
宗　普段何をしているんでしょうね（笑）。
藤原　休みの日は？
宗　このご時世なのもありますけど、家でNetflixやYouTubeばかり見ています。家では野球のことは考えないようにしています。
藤原　そうなんですね。やっぱりオンとオフの切り替えは大事ですよね。僕は、そこの切り替えがあまりうまくできなくて……。とにかく休みがあったら、何かしたいんですよ。
宗　何をするんですか？
藤原　とにかく体を動かしたくて。だから毎月、野球をしています。オフがあったら大阪で友だちと一緒に（笑）。
宗　野球やっているんですね。それは仕事の延長じゃなく楽しんでやっているものだから、すごくいいと思います。楽しそうですね！
藤原　めっちゃ、楽しいです！　舞洲のスタジアムで、めっちゃ風が強い日は「ここはZOZOマリンか！」って言い合いながら（笑）。そんなことぐらいしかやってないです。
宗　そこは切り替えられていると思いますよ。
藤原　Netflixでは何を見ているんですか？
宗　僕、宇宙系が結構好きで。
藤原　宇宙系!?
宗　わかります？　宇宙系、SF系ですね。
藤原　映画館に観に行ったりは？
宗　好きなので一人で映画館に観に行きます。映画は僕、一人じゃないとダメなんですよ。むしろ一人映画が普通だと思っていました。スクリーンから離れた、端っこの席に座って、一人で観ています。
藤原　僕は作品によってこの映画は一人じゃなくて、誰かと共有したいってときは誘いますね。
——感動系や恋愛系などジャンルによって変わってくるってことですか？
藤原　そうですね。恋愛系って観ます？
宗　見ない……。恥ずかしいです（笑）。
藤原　僕、恋愛系は部屋で一人で見ます。だって映画館に一人で観に行って、座った席が、カップル、カップル、俺、カップルってなったら最悪じゃないですか（笑）。「この人、一人なんやな……」って思われる。結構、周りを気にしちゃうんです。「もしかしたらこう思われているんちゃうかな？」って、すごく気になる。
宗　わかります、わかります。カップル、カップル、自分は、絶対に嫌（笑）。
藤原　あと僕、断れないんです。例えば靴を買うときに防水スプレーを勧められたりするじゃないですか。あれ、3本くらいあるんですよ。
宗　買ってしまうってことですか？
藤原　そう。断れないんですよ。
宗　それは、断ったほうがいいですよ(笑)。
藤原　「もしかしたら、この人にノルマとかあるんかな？」みたいなこと考えるとダメなんです。
宗　そこまで!?（笑）。ノルマとか大丈夫ですから、それは断りましょう(笑)。
藤原　基本的に優柔不断で。だから野球でも、サードで捕球した時に二塁でゲッツーを狙うのか、そのまま一塁に投げるのかって、まぁケースバイケースですけど、そういう状況判断を瞬時にするってことが、苦手ですね。「どうしよ、どうしよ。こっち投げてセーフやったら、ミスったら怒られるし……」とか、いろいろ考えてしまいます。そういう判断を素早くできるのも、すごいなって思います｡宗選手､すごいですよ！
宗　ありがとうございます（笑）。でも、その瞬間は何も考えてないです。
藤原　えっ!? じゃあ、どうするんですか。

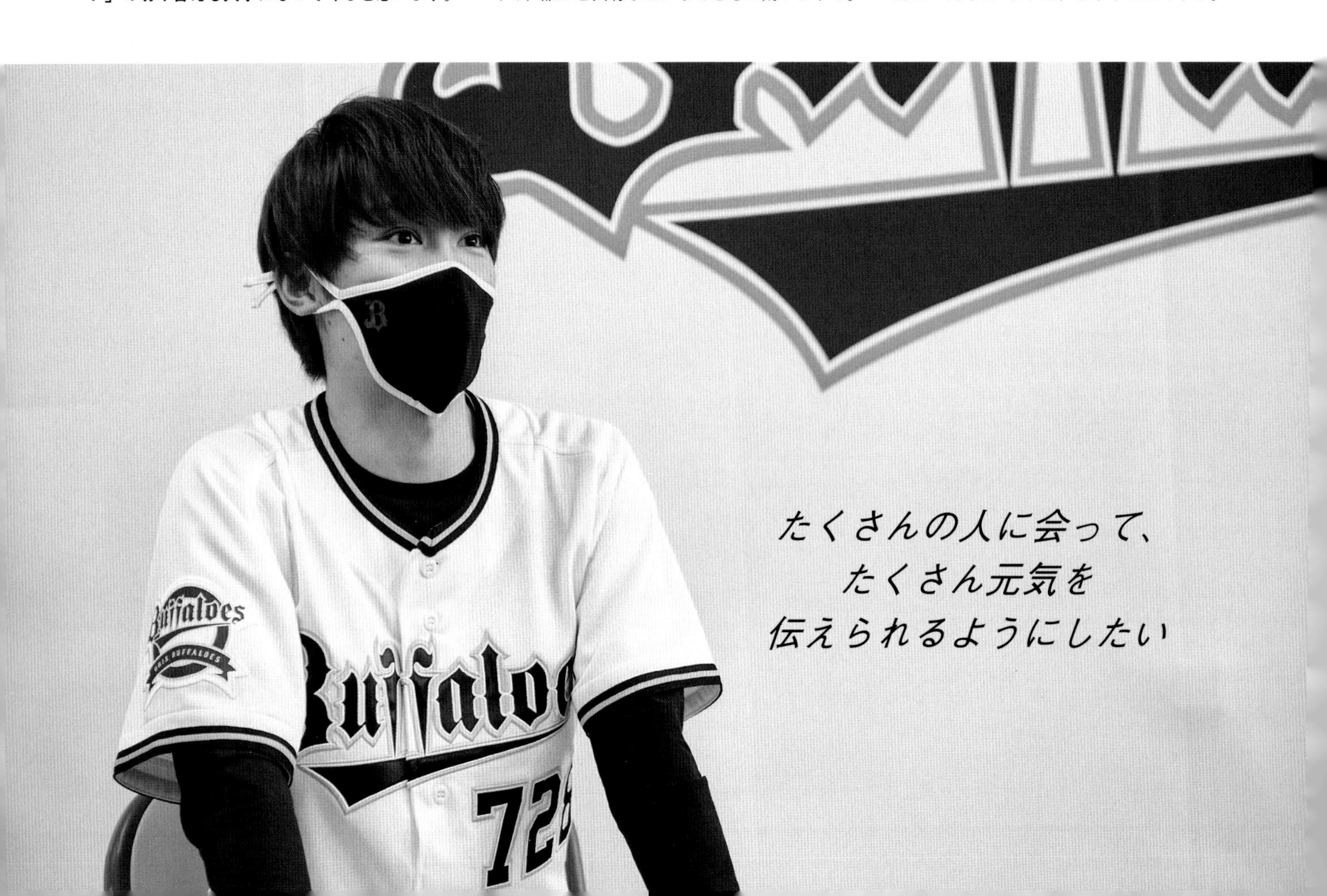

たくさんの人に会って、
たくさん元気を
伝えられるようにしたい

宗　例えばランナーが一塁にいるときでも、打球のスピードとかでなんとなくわかるんですよね。考えてはないです。感覚ですね。

藤原　感覚なんですね。見ている方からすると、普通の人なら無理やのに「宗選手やからゲッツーとれた」っていう場面が、めちゃくちゃ興奮するんですよね。

宗　アウトにできる、できないは感覚、雰囲気です。打球が飛んで来る前はいろんなシチュエーションを考えますが、飛んできた瞬間、頭の中では何も考えてないです。反応ですね。

藤原　かっ……こいいですね……!! 日本シリーズのとき、サードライナーがあったじゃないですか？ あれもですか？

宗　東京ドームですね？

藤原　そう！ あれ、ライナー捕ったら普通は喜ぶと思うんです。でも、捕ったらすぐにファーストに投げたじゃないですか。カメラさんも驚くぐらいのスピードで。ああいうふうに先のことを考えて、すぐに実行できるのはすごいなって思うんです。だから僕、野球を観て、オリックスを応援しながら、めっちゃ考えさせられるんですよ。自分も『なにわ男子』のライブとかでも“一手先”を考えなあかんなって思って……。

宗　すごい!! 野球をライブにつなげられるのが、すごい。

藤原　つなげちゃうんですよねえ（笑）。

藤原「国民的アイドルに」、宗「リーグ連覇して日本一」

――さて今季はディフェンディングチャンピオンとして迎えます。これまでとは違う立場でスタートする1年になります。

宗　そうですね。でもやっぱり、昨年は最後に日本一になれなかった悔しさがあります。昨年のいい経験を生かしながら、今年はもう一回、チーム全員で日本一を狙いたい。キャンプからみんながそういう気持ちでやっています。

藤原　昨年は素晴らしい景色を見せてもらったんですけど、今年は“さらに上を”って期待しちゃいます。25年前も、1995年のリーグ優勝のときは日本シリーズで負けましたけど、翌年の1996年はリーグ優勝して日本一にもなった。その時の流れが、昨年から今年に重なるんじゃないかって、すごく楽しみにしちゃっています。

――『なにわ男子』の藤原さんとしても、「期待しちゃう1年」になると思います。

藤原　僕たち『なにわ男子』としても昨年11月にCDデビューをさせていただいて、「さぁ、今年！」というところにいます。まだジャニーズ事務所の中でも一番下っ端なんですけど、デビューしたときの初心を忘れず、その勢いのまま、飛ぶ鳥を落とす勢いで頑張っていきたいと思っています！

――改めて最後に2022年の目標と意気込みをお願いします。まずは藤原さんから。

藤原　個人的にも、グループとしても、まだまだ若手ですし、もっとたくさんの人に存在を知っていただけるようになりたい。ジャニーズの関西の先輩だと、『ジャニーズWEST』さん、『関ジャニ∞』さんがいらっしゃいますけど、僕たちも関西をもっと盛り上げられるようになりたいです。そしていつかは、「国民的アイドル」という称号を手にできるようになりたい。今のコロナ禍の状況で、なかなかファンと会う機会も少なかったので、今年はもっともっとファンの方に直接お会いできたらうれしいですし、CDもたくさんの人に聴いてもらいたいです。とにかく、たくさんの人に会って、たくさん元気を伝えられるようにしたいです。

宗　もう毎日、テレビに出てもらいたいですよ。同じ1996年生まれの人が頑張っているのを見ると刺激になりますし、もっともっと応援したくなる。

藤原　ありがとうございます。そして僕、いずれかはニュースのスポーツコーナーを担当したいんですよね。そこでオリックスをもっともっと紹介したい。それで、編集にも立ち会おうかなって。

宗　ははは！ 尺を長く、ね(笑)。

藤原　「そこはそうちゃうって、そこの前のフォアボールのシーンから入れとかなあかんって！」ってやりたいんですよ。

宗　ははは！ (笑)。

藤原　僕自身は本格的に野球をやっていた経験者ではないので、ファンとして、野球のおもしろさ、素晴らしさというものを多くの人に伝えられたらと思っています！

――では、宗選手の2022年の目標、意気込みは？

宗　リーグ連覇をして、最後に日本一ですね。昨年の悔しさを晴らしたいです。個人としても、まだまだレギュラーだとは思っていないので、しっかりとアピールして、絶対的なレギュラーになれるようにしたい。そして今年もゴールデングラブ賞を獲りたいですね。

藤原　今の言葉を聞いていても、現状に満足せず、しっかりと上を目指している姿がかっこいい。プロ野球にはたくさん素晴らしい選手がいますが、その中で「サードといえば宗！」と言われるような選手になっていただきたいと思っています。応援しています！

宗　ありがとうございます！ お互い頑張りましょう！

リーグ連覇をして、
最後に日本一。
昨年の悔しさを晴らしたい

Buffaloes
FUJIWARA
Naniwa Danshi
JOICHIRO
Buffaloes
728

Buffaloes

FUJIWARA JOICHIRO

Naniwa Danshi

Batter

Pitcher

Buffaloes
FUJIWARA
Naniwa Danshi
JOICHIRO
バントも
おばせ
いくぞっ
予告
ホームラン!!

ホームラン!!
よっしゃあああ
Buffaloes
728

01 BsCLUB プラチナ会員
PLATINUM MEMBER ※インターネット入会限定となります。

年会費	Aコース	Bコース	Cコース
	31,000円（税込・送料込）	39,000円（税込・送料込）	4 受付終了 円（税込・送料込）

来場ポイント	50pt	チケット購入ポイント付与率	4%
グッズ購入ポイント付与率	2%	前売券先行ランク	第2次
会員証種類	アプリ会員証のみ	指定席引換券【A】	8枚

お届けグッズ・食品 ※Bコース リュック or 宮崎牛から1点

オリジナルユニフォーム（サード）or Bsポイント 1,000pt or 2022 ハイクオリティサードユニフォーム 2,000円割引券	B×デサントオリジナルコラボリュック（受付終了）	宮崎牛 モモスライス 500g	今治タオルセット	【球場お渡しグッズ】アプリ会員限定オリジナルエコバッグ & アプリ会員限定優勝記念カード
A○ B○ C○	A× B○※ C○	A× B○※ C○	A○ B○ C○	A○ B○ C○

02 BsCLUB ゴールド会員
GOLD MEMBER ※B・Cコースはインターネット入会限定となります。

年会費	Aコース	Bコース	Cコース
	12,000円（税込・送料込）	20,000円（税込・送料込）	2 受付終了 円（税込・送料込）

来場ポイント	50pt	チケット購入ポイント付与率	4%
グッズ購入ポイント付与率	2%	前売券先行ランク	アプリ会員証：第3次 カード会員証：第4次
会員証種類	Aコース：カード or アプリ B・Cコース：アプリ会員証	指定席引換券【A】	2枚

お届けグッズ・食品 ※1 Aコース アプリ会員のみ ※2 Bコース リュック or 宮崎牛から1点

オリジナルユニフォーム（サード）or Bsポイント 1,000pt or 2022 ハイクオリティサードユニフォーム 2,000円割引券	B×デサントオリジナルコラボリュック（受付終了）	宮崎牛 モモスライス 500g	今治タオルセット	【球場お渡しグッズ】アプリ会員限定オリジナルエコバッグ & アプリ会員限定優勝記念カード
A○ B○ C○	A× B○※2 C○	A× B○※2 C○	A○ B○ C○	A※1 B○ C○

03 BsCLUB レギュラー会員
REGULAR MEMBER

年会費 4,000円（税込）

来場ポイント	40pt	チケット購入ポイント付与率	4%
グッズ購入ポイント付与率	2%	前売券先行ランク	アプリ会員証：第5次 カード会員証：第6次
会員証種類	アプリ会員証 or カード会員証	指定席引換券【B】（大人）	1枚

お届けグッズ

オリジナルユニフォーム（サード）or Bsポイント 1,000pt or 2022 ハイクオリティサードユニフォーム 2,000円割引券

【球場お渡しグッズ】
アプリ会員限定オリジナルエコバッグ

04 BsCLUB ジュニア会員
JUNIOR MEMBER 対象：中学生以下（2022年4月2日時点）

年会費 1,500円（税込）

来場ポイント	40pt	チケット購入ポイント付与率	4%
グッズ購入ポイント付与率	2%	前売券先行ランク	第6次
会員証種類	カード会員証のみ	指定席引換券【B】（こども）	3枚

お届けグッズ

オリジナルプラクティスTシャツ or オリジナル選手バスタオル

【球場お渡しグッズ】
ジュニア会員限定選手ステッカーシール

「BsCLUB」オリックス・バファローズオフィシャルファンクラブ
TEL 0570-01-8862（平日 10:00~17:00） メールアドレス：info@orixbuffaloes.jp
〒550-0023 大阪市西区千代崎 3- 北 2-30

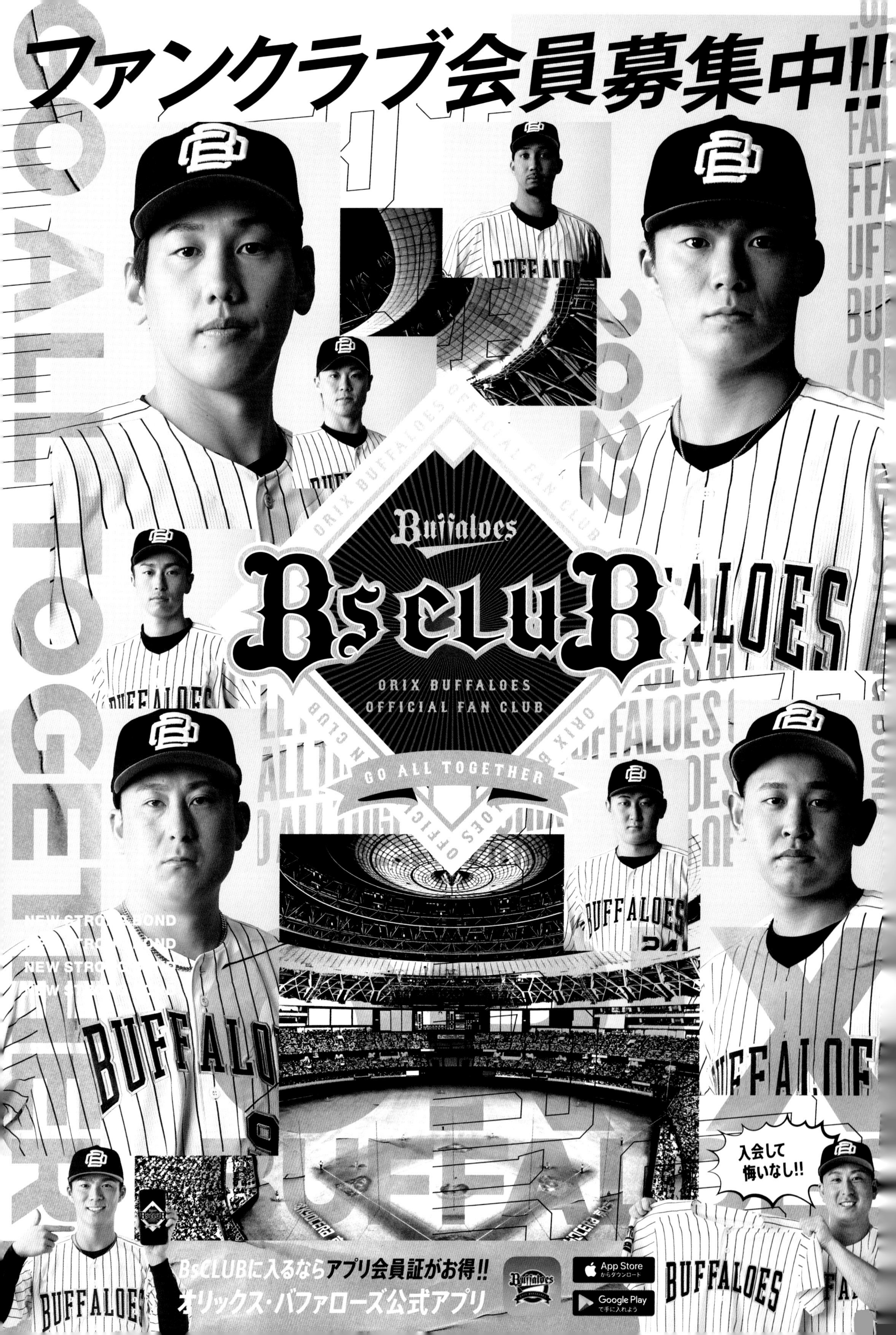
ファンクラブ会員募集中!!
Buffaloes
BsCLUB
ORIX BUFFALOES
OFFICIAL FAN CLUB
GO ALL TOGETHER
入会して
悔いなし!!
BsCLUBに入るならアプリ会員証がお得!!
オリックス・バファローズ公式アプリ
App Store からダウンロード
Google Play で手に入れよう

選手名鑑2022 PERFECT REGISTER

PITCHER 投手

11 山﨑 福也
12 山下 舜平大
13 宮城 大弥
16 平野 佳寿
17 増井 浩俊
18 山本 由伸
19 山岡 泰輔
21 竹安 大知
22 村西 良太
26 能見 篤史
28 富山 凌雅
29 田嶋 大樹
30 K－鈴木
35 比嘉 幹貴
37 中川 颯
43 前 佑囲斗
45 阿部 翔太
46 本田 仁海
47 海田 智行
48 齋藤 綱記
49 澤田 圭佑
54 黒木 優太
57 山田 修義
59 セサル・バルガス
63 山﨑 颯一郎
65 漆原 大晟
66 吉田 凌
98 張 奕
001 佐藤 一磨
002 谷岡 楓太
003 中田 惟斗
008 松山 真之
011 川瀬 堅斗
012 辻垣 高良
013 宇田川 優希
124 近藤 大亮
125 榊原 翼
128 東 晃平

CATCHER 捕手

2 若月 健矢
23 伏見 寅威
33 松井 雅人
44 頓宮 裕真
62 中川 拓真
005 鶴見 凌也
014 釣 寿生

INFIELDER 内野手

3 安達 了一
5 西野 真弘
6 宗 佑磨
10 大城 滉二
24 紅林 弘太郎
31 太田 椋
36 山足 達也
40 大下 誠一郎
42 ランヘル・ラベロ
53 宜保 翔
67 中川 圭太
120 廣澤 伸哉

OUTFIELDER 外野手

1 福田 周平
7 吉田 正尚
8 後藤 駿太
25 西村 凌
27 元 謙太
38 来田 涼斗
41 佐野 皓大
50 小田 裕也
55 T－岡田
60 佐野 如一
99 杉本 裕太郎
004 平野 大和

NEW COMER 新入団選手

58 ジェイコブ・ワゲスパック
69 ジェシー・ビドル
4 ブレイビック・バレラ
121 中村 勝
15 椋木 蓮
9 野口 智哉
32 福永 奨
0 渡部 遼人
39 池田 陵真
52 横山 楓
56 小木田 敦也
020 山中 尭之
021 園部 佳太
022 大里 昂生

Q&Aの見方

①俺のココを見てくれ！ ②俺をこう呼んでくれ！ ③俺の休日のルーティンは？ ④俺の最近のプチ悩みは？ ⑤俺の癒し！ ⑥俺のちょっとした自慢！ ⑦俺のラッキーカラー！ ⑧俺のお気に入りミュージシャン！ ⑨俺の家にある女子力が一番高いものは？ ⑩俺の最近スマホで撮影したお気に入りの写真は？ ⑪俺が野球をはじめたのは？ ⑫俺のちょっとした贅沢！ ⑬俺を動物に例えると！ ⑭俺の冷蔵庫に入っていないと困るものは？ ⑮俺の最近のお気に入りの動画ジャンルは？ ⑯俺のお気に入りの香りは？ ⑰俺のカラオケの十八番は？ ⑱未来のプロ野球選手にひとこと！ ⑲俺の今シーズンの目標・公約はコレだ！

MANAGER & COACHING LIST

78 監督

NAKAJIMA SATOSHI

中嶋 聡

- 1969年3月27日(53歳)
- 182cm・84kg ● 秋田県 ● 右投右打

CAREER

鷹巣農林高-
阪急・オリックス(ドラフト3位・87～97)-
西武(98～02)-横浜(03)-
日本ハム(04～15引退／07～15は兼任コーチ)-
日本ハム(18)-オリックス(19～)

AWARDS & RECORDS

★ベストナイン〈捕手〉(95)
★ゴールデングラブ賞〈捕手〉(89)
[日]最多実働年数 29([パ]28)
[パ]捕手・シーズン
最高守備率 1.000(06)

89 二軍監督

KOBAYASHI HIROSHI

小林 宏

- 1970年11月30日(52歳)
- 183cm・83kg
- 広島県
- 右投右打

CAREER 崇徳高-広島経済大-オリックス(ドラフト1位・93～04)-楽天(05引退)-オリックス(09～14、16～)

88 ヘッドコーチ

MIZUMOTO KATSUMI

水本 勝己

- 1968年10月1日(54歳)
- 180cm・102kg
- 岡山県
- 右投右打

CAREER 倉敷工高-松下電器-広島(ドラフト外・90～91引退)-広島(07～20)-オリックス(21～)

― 巡回ヘッドコーチ

NAKAGAKI SEIICHIRO

中垣 征一郎

- 1970年1月18日(52歳)
- 176cm・71kg
- 東京都

CAREER 狛江高-筑波大
【コーチ歴】日本ハム(13～16)-オリックス(20～)

83 野手総合兼打撃コーチ

KOYANO EIICHI

小谷野 栄一

- 1980年10月10日(42歳)
- 177cm・88kg
- 東京都
- 右投右打

CAREER 創価高-創価大-日本ハム(ドラフト5巡目・03～14)-オリックス(15～18引退)-楽天(19)-オリックス(20～)

AWARDS & TITLE ★打点王(10) ★ベストナイン〈三塁手〉(10)
★ゴールデングラブ賞〈三塁手〉(09、10、12)

90 育成統括コーチ

BEPPU SYUSAKU

別府 修作

- 1963年8月14日(59歳)
- 177cm・80kg
- 鹿児島県
- 右投右打

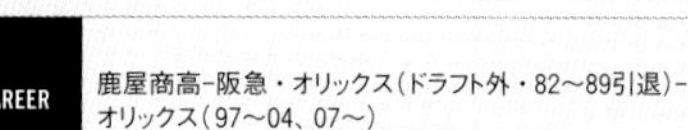

CAREER 鹿屋商高-阪急・オリックス(ドラフト外・82～89引退)-オリックス(97～04、07～)

73 投手コーチ

TAKAYAMA IKUO

高山 郁夫

- 1962年9月8日(60歳)
- 189cm・97kg
- 秋田県
- 右投右打

CAREER 秋田商高-プリンスホテル-西武(ドラフト3位・85～90)-広島(91～94)-ダイエー(95～96引退)-ソフトバンク(06～13)-オリックス(14～15)-中日(16～17)-オリックス(18～)

75 投手コーチ

ATSUZAWA KAZUYUKI

厚澤 和幸

- 1972年8月11日(50歳)
- 184cm・82kg
- 埼玉県
- 左投左打

CAREER 大宮工高-国士舘大-日本ハム(ドラフト2位・95～03引退、04～10、14～21)-オリックス(22～)

26 投手コーチ(選手兼任)

NOHMI ATSUSHI

能見 篤史

- 1979年5月28日(43歳)
- 180cm・74kg
- 兵庫県
- 左投左打

CAREER 鳥取城北高-大阪ガス-阪神タイガース(ドラフト自由枠・05～20)-オリックス(21～)

TITLE ★最多奪三振(12)

71 投手コーチ

KISHIDA MAMORU
岸田 護
- 1981年5月10日(41歳)
- 180cm・78kg
- 大阪府
- 右投右打

CAREER 履正社高-東北福祉大-NTT西日本-オリックス(社会人ドラフト3巡目・06～19引退)-オリックス(20～)

82 投手コーチ

IRIKI YUSAKU
入来 祐作
- 1972年8月13日(50歳)
- 174cm・80kg
- 宮崎県
- 右投右打

CAREER PL学園高-亜細亜大-本田技研-巨人(ドラフト1位・97～03)-日本ハム(04～05)-米マイナー(06～07)-横浜(08引退)-ソフトバンク(15～19)-オリックス(21～)

TITLE ★最高勝率(01)

77 打撃コーチ

SOYOGI EISHIN
梵 英心
- 1980年10月11日(42歳)
- 173cm・76kg
- 広島県
- 右投右打

CAREER 三次高-駒澤大-日産自動車-広島(ドラフト3巡目・06～17)-エイジェック(18～19引退)-オリックス(21～)

AWARDS & TITLE ★最優秀新人(06) ★ゴールデングラブ賞〈遊撃手〉(10) ★盗塁王(10)

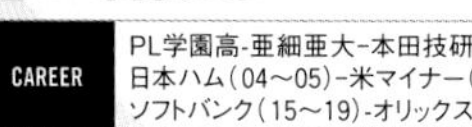

79 打撃コーチ

TSUJI RYUTARO
辻 竜太郎
- 1976年6月8日(46歳)
- 180cm・78kg
- 大阪府
- 右投左打

CAREER 松商学園高-明治大-ヤマハ-オリックス(ドラフト8巡目・02～04)-楽天(05～07)-BCL・信濃(08～14引退)-オリックス(15～)

85 打撃コーチ

TAKAHASHI SHINJI
髙橋 信二
- 1978年8月7日(44歳)
- 182cm・90kg
- 岡山県
- 右投右打

CAREER 津山工高-日本ハム(ドラフト7位・97～11)-巨人(11)-オリックス(12～14)-BCL・信濃(15・引退／兼任コーチ)-日本ハム(16～21)-オリックス(22～)

AWARDS ★ベストナイン〈一塁手〉(09) ★ゴールデングラブ賞〈一塁手〉(09)

76 内野守備・走塁コーチ

KAZAOKA NAOYUKI
風岡 尚幸
- 1968年1月24日(54歳)
- 176cm・71kg
- 愛知県
- 右投右打

CAREER 中部大春日丘高-阪急・オリックス(ドラフト6位・86～97)-阪神(98～00引退)-阪神(01～04)-中日(05～10)-阪神(11～15)-オリックス(16～)

80 内野守備・走塁コーチ

KOJIMA SHUHEI
小島 脩平
- 1987年6月5日(35歳)
- 177cm・78kg
- 群馬県
- 右投左打

CAREER 桐生第一高-東洋大-住友金属鹿島-オリックス(ドラフト7巡目・12～20引退)-オリックス(21～)

81 外野守備・走塁コーチ

TAGUCHI SO
田口 壮
- 1969年7月2日(53歳)
- 177cm・75kg
- 兵庫県
- 右投右打

CAREER 西宮北高-関西学院大-オリックス(ドラフト1位・92～01)-カージナルス(02～07)-フィリーズ(08)-カブス(09)-オリックス(10～11引退)-オリックス(16～)

AWARDS & TITLE ★ベストナイン〈外野手〉(96) ★ゴールデングラブ賞〈外野手〉(95、96、97、00、01)

70 外野守備・走塁コーチ

MATSUI YUSUKE
松井 佑介
- 1987年7月10日(35歳)
- 185cm・87kg
- 大阪府
- 右投右打

CAREER 大阪商業大学堺高-東京農大-中日(ドラフト4巡目・10～19途)-オリックス(19途～20引退)-オリックス(21～)

87 バッテリーコーチ

SAITOH TOSHIO
齋藤 俊雄
- 1983年12月23日(39歳)
- 180cm・85kg
- 愛知県
- 右投右打

CAREER 豊田大谷高-三菱自動車岡崎-横浜(ドラフト10巡目・05～09)-ロッテ(10)-オリックス(11～16引退)-オリックス(18～)

74 バッテリーコーチ

YAMAZAKI KATSUKI
山崎 勝己
- 1982年8月16日(40歳)
- 180cm・88kg
- 兵庫県
- 右投右打

CAREER 報徳学園高-ダイエー・ソフトバンク(ドラフト4位・01～13)-オリックス(14～20引退)-オリックス(21～)

72 育成コーチ

HIRAI MASAFUMI
平井 正史
- 1975年4月21日(47歳)
- 183cm・92kg
- 愛媛県
- 右投右打

CAREER 宇和島東高-オリックス(ドラフト1位・94～02)-中日(03～12)-オリックス(13～14引退)-オリックス(15～)

AWARDS & TITLE ★最高勝率(95) ★最優秀救援投手(95) ★新人王(95) ★カムバック賞(03)

86 育成コーチ

YOSHIDA SHINTARO
由田 慎太郎
- 1981年7月20日(41歳)
- 175cm・75kg
- 石川県
- 左投左打

CAREER 桐蔭学園高-早稲田大-オリックス(ドラフト8巡目・04～12引退)-オリックス(20～)

84 育成コーチ

SUZUKI KOHEI
鈴木 昂平
- 1991年6月20日(31歳)
- 175cm・77kg
- 東京都
- 右投右打

CAREER 東海大菅生高-東海大-三菱重工名古屋-オリックス(ドラフト7巡目・16～19引退)-オリックス(20～)

91 育成コーチ

IIDA DAISUKE
飯田 大祐
- 1990年9月19日(32歳)
- 181cm・85kg
- 茨城県
- 右投右打

CAREER 常総学院高-中央大-Honda鈴鹿-オリックス(ドラフト7巡目・17～20)-オリックス(21～)

11

山﨑 福也

1992年9月9日(30歳)／188㎝・95kg／B型／
左投左打／8年目／埼玉県／
日本大学第三高-明治大-オリックス(ドラフト1巡目・15〜)

初登板 ▸ 2015.3.29(西武プリンス)対西武3回戦　先発(2回1/3)
初勝利 ▸ 2015.6.5(ナゴヤドーム)対中日1回戦　先発(5回0/3)
初完封 ▸ 2017.7.10(京セラドーム大阪)対日本ハム12回戦

規定投球回数到達で2桁勝利を

先発ローテーションに定着した昨季はキャリアハイの数字を残し、チームのリーグ優勝に大きく貢献した。ただ、本人の設定した目標はさらに上にある。まずは規定投球回数に到達すること。それが達成できれば、勝ち星の上積みも望めるはず。自身で決めた食事の取り方や、トレーニングの継続で、ここ数年で体の強度も大きくアップし、シーズンを乗り切るフィットネスは十分だ。最大の特徴は速球を軸に、大きなカーブやチェンジアップを自在に操る緩急差をつけた投球術。今季も先発の軸として、2桁勝利はもちろん、自身の勝ち負けで貯金をつくりたい。

公式戦個人年度別成績

年度	所属球団	試合	勝利	敗戦	セーブ	投球回数	自責点	防御率
2015	オリックス	17	3	6	0	57 2/3	29	4.53
2016	オリックス	17	3	2	0	61 1/3	25	3.67
2017	オリックス	15	2	5	0	45	22	4.40
2018	オリックス	7	0	1	0	17 2/3	9	4.58
2019	オリックス	36	2	3	0	54	27	4.50
2020	オリックス	15	5	5	0	84	42	4.50
2021	オリックス	22	8	10	0	116 1/6	46	3.56
通算7年		129	23	32	0	436	200	4.13

二軍公式戦個人年度別成績

年度	所属球団	試合	勝利	敗戦	セーブ	投球回数	自責点	防御率
2015	オリックス	10	2	4	0	56 1/3	17	2.72
2016	オリックス	6	1	2	0	36	11	2.75
2017	オリックス	11	3	5	0	48 2/3	21	3.88
2018	オリックス	12	1	5	0	59 1/3	22	3.34
2019	オリックス	3	0	0	0	11	1	0.82
2020	オリックス	4	2	1	0	20 2/3	2	0.87
2021	オリックス	4	2	0	0	24	8	3.00
通算7年		50	11	17	0	256	82	2.88

応援よろしくお願いします

Q&A ❶ロジン ❷サチ ❸トレーニング ❺寝る ❼赤 ❽Bigfumi ⓫小学2年生 ⓬アイスを食べる ⓭カワウソ ⓮ゼリー ⓲ファイト!! ⓳2桁勝つ

投手　YAMASHITA SHUNPEITA

12
山下 舜平大

2002年7月16日（20歳）　189cm・95kg　B型
右投右打　2年目　福岡県
福岡大附大濠高-オリックス（ドラフト1巡目・21～）

スケール感アップの2年目に期待

ルーキーイヤーの昨季は、ファームで先発ローテの一角を任された。勝敗や防御率だけを見れば、満足のいくものではない。ただ、1年目でつかんだプロとしての感覚は大きな財産だ。シーズン途中には、ストレートとカーブだけの投球から脱却を決心。新球習得にも取り組んで手応えも得た。制球を磨いて次なるステップ、一軍デビューだ。

1年間ありがとうございました。
これからもよろしくお願いします

Q&A ❶一生懸命投げているところ ❷ペータ ❸昼寝 ❹乾燥 ❼赤 ❽ジャスティン・ビーバー ⓫小学4年生 ⓬練習後の昼寝 ⓮水 ⓯釣りよか ⓲野球は楽しいです!! ⓳一軍登板

■二軍公式戦個人年度別成績

年度	所属球団	試合	勝利	敗戦	セーブ	投球回数	自責点	防御率
2021	オリックス	18	2	9	0	652/3	40	5.48
通算1年		18	2	9	0	652/3	40	5.48

投手　MIYAGI HIROYA

13

宮城 大弥

2001年8月25日(21歳)／171cm・78kg　A型／
左投左打／3年目／沖縄県／
興南高-オリックス(ドラフト1巡目・20～)

初登板▸2020.10.4(京セラドーム大阪)対楽天18回戦　先発(5回)
初勝利▸2020.11.6(京セラドーム大阪)対日本ハム24回戦　先発(5回)

[表　彰]★新人王(21)

ローテの軸に成長した左のエース格

２年目の大ブレイクで一気にチーム内での存在感は高まった。昨季前半の快進撃で、チームのピンチを幾度となく救った好投は印象深い。オールスターゲームや日本シリーズのマウンドを踏んだ経験値は大きい。ただ、長いシーズン、後半は思うような投球ができず、常に高いパフォーマンスを維持する難しさを痛感し苦しんだ。厳しいプロの世界においては、好成績を残した翌年が勝負のシーズンになるのが常。注目度が各段に上がったなかで迎える今季、「評価に見合った投球を」と飛躍を誓う。お洒落の似合う左腕を目指す。

■公式戦個人年度別成績

年度	所属球団	試合	勝利	敗戦	セーブ	投球回数	自責点	防御率
2020	オリックス	3	1	1	0	16	7	3.94
2021	オリックス	23	13	4	0	147	41	2.51
通算２年		26	14	5	0	163	48	2.65

■二軍公式戦個人年度別成績

年度	所属球団	試合	勝利	敗戦	セーブ	投球回数	自責点	防御率
2020	オリックス	13	6	2	0	59 2/3	18	2.72
2021	オリックス	1	0	1	0	4	3	6.75
通算２年		14	6	3	0	63 2/3	21	2.97

応援ありがとうございます。
今年もお願いします

Q&A
❶マウンドさばき ❷ミヤギー ❸ゴロゴロ、YouTubeを見る ❹乾燥しやすくなっている ❺猫を見る ❻晴れ男 ❼青、赤、ピンク、黒 ❽マカロニえんぴつ、ベリーグッドマン ❾美容液 ❿東京ドームの夜の写真 ⓫幼稚園 ⓬アイスを食べる ⓭猿 ⓮水 ⓯ばんばんざい、サワヤン ⓰いい匂いのやつ ⓲一緒に頑張ろう ⓳ケガなくやり切る

16

平野 佳寿

1984年3月8日(38歳)　186cm・88kg　O型
右投右打　14年目　京都県　鳥羽高-京都産業大-
オリックス(ドラフト希望枠・06～17)-ダイヤモンドバックス(18～19)-マリナーズ(20)-
オリックス(21～)

初登板 ▸ 2006. 3 .26(インボイスSEIBU)対西武2回戦　8回より救援(0/ 3回)
初勝利 ▸ 2006. 3 .30(フルスタ宮城)対楽天3回戦　先発(6回)
初完封 ▸ 2006. 4 . 6 (大阪ドーム)対ロッテ3回戦
初セーブ ▸ 2010. 7 .28(スカイマーク)対日本ハム16回戦

[タイトル] ★最優秀中継ぎ投手(11) ★最多セーブ(14)
[表　彰] ★特別賞(11、14)

復帰後即、V運んだ安定の守護神

昨年の春季キャンプ中に電撃復帰を果たしたベテランの存在は大きかった。会見での「オリックス復帰の恩返しは優勝で」はまさに有言実行だった。若く伸び盛りの選手が多いチームにおいて、メジャー帰りの実績十分のベテランがその背中で投手陣をけん引したのは紛れもない事実。クローザーに関しては、チームはシーズン序盤、試行錯誤を繰り返したが、結局のところ、守護神に落ち着いたのは“ヨシヒサ”だった。厳しい局面での登板も、表情を変えず涼しい顔をして乗り切る姿は頼もしかった。連覇に不可欠な存在。今季も9回のマウンドを死守する！

公式戦個人年度別成績

年度	所属球団	試合	勝利	敗戦	セーブ	投球回数	自責点	防御率
2006	オリックス	26	7	11	0	172 1/3	73	3.81
2007	オリックス	27	8	13	0	171 2/3	71	3.72
2009	オリックス	20	3	12	0	114 1/3	60	4.72
2010	オリックス	63	7	2	2	80 2/3	15	1.67
2011	オリックス	72	6	2	2	83 2/3	18	1.94
2012	オリックス	70	7	4	9	79 2/3	19	2.15
2013	オリックス	60	2	5	31	62 2/3	13	1.87
2014	オリックス	62	1	6	40	60 1/3	23	3.43
2015	オリックス	33	0	3	12	31	14	4.06
2016	オリックス	58	4	4	31	61	13	1.92
2017	オリックス	58	3	7	29	57 1/3	17	2.67
2021	オリックス	46	1	3	29	43	11	2.30
通算12年		595	49	72	185	1017 2/3	347	3.07

二軍公式戦個人年度別成績

年度	所属球団	試合	勝利	敗戦	セーブ	投球回数	自責点	防御率
2008	サーパス	6	1	1	0	8	6	6.75
2009	オリックス	4	1	0	0	17	0	0.00
2015	オリックス	2	0	0	0	2	0	0.00
2017	オリックス	1	0	0	0	1	0	0.00
2021	オリックス	3	0	0	0	3	0	0.00
通算5年		16	2	1	0	31	6	1.74

いつも応援ありがとうございます。
これからもよろしくお願いします

Q&A
①オジさんが地味に頑張っているところ ②佳寿 ③家族サービス ⑤家のソファー ⑥指の骨を永遠に鳴らすことができる ⑦白、黒 ⑧その時代の流行り ⑨フルーツがいつもある ⑩お気に入りのシューズ ⑪小学3年生 ⑫ビールは生 ⑬馬 ⑭ビール ⑮YouTube、Netflix、Prime Video ⑯新しいグローブのにおい ⑰『クリスマス・イブRap』 ⑱一緒に野球界を盛り上げよう!! ⑲連覇

投手 MASUI HIROTOSHI

17

増井 浩俊

1984年6月26日(38歳) 181cm・77kg A型
右投右打／13年目 静岡県
静岡高-駒沢大-東芝-日本ハム(ドラフト5巡目・10～17)-オリックス(18～)

初登板 ▸ 2010.4.9(ヤフードーム)対ソフトバンク4回戦 先発(6回)
初勝利 ▸ 2010.4.27(札幌ドーム)対オリックス6回戦 先発(7回)
初完封 ▸ 2016.9.1(東京ドーム)対楽天19回戦
初セーブ ▸ 2012.5.6(札幌ドーム)対オリックス9回戦

［タイトル］★最優秀中継ぎ投手(12)
［記　録］★〔パ〕シーズン最多ホールド 45(12)
★〔パ〕シーズン最多ホールドポイント 50(12)

先発・救援と両構えのベテラン

開幕から先発を任されたのはルーキーイヤー以来だった。シーズン序盤は順調な滑り出しも、夏場にかけてやや苦しんだ。ファームでの調整を行う中で、ワインドアップモーションにするなど、実績十分のベテランが試行錯誤を繰り返し、もがき苦しんだ。そんな中でつかんだ新たな感覚に手応えも。交流戦のヤクルト戦(@京セラ)では先発で勝利投手の権利を有しながら、後続の投手が打たれ、史上初の12球団からの勝利＆ホールド＆セーブ達成はお預けになってしまった。今季こそ、大記録達成を！ 先発でも、救援でも、与えられたポジションで力いっぱい腕を振る。

■公式戦個人年度別成績

年度	所属球団	試合	勝利	敗戦	セーブ	投球回数	自責点	防御率
2010	日本ハム	13	3	4	0	60	29	4.35
2011	日本ハム	56	0	4	0	53 2/3	11	1.84
2012	日本ハム	73	5	5	7	71 2/3	22	2.76
2013	日本ハム	66	4	4	4	63	26	3.71
2014	日本ハム	56	5	6	23	58	16	2.48
2015	日本ハム	56	0	1	39	60	10	1.50
2016	日本ハム	30	10	3	10	81	22	2.44
2017	日本ハム	52	6	1	27	52 2/3	14	2.39
2018	オリックス	63	2	5	35	65	18	2.49
2019	オリックス	53	1	4	18	50 1/3	27	4.83
2020	オリックス	16	2	2	0	35 2/3	12	3.03
2021	オリックス	15	3	6	0	71	39	4.94
通算12年		549	41	45	163	722	246	3.07

■二軍公式戦個人年度別成績

年度	所属球団	試合	勝利	敗戦	セーブ	投球回数	自責点	防御率
2010	日本ハム	6	1	1	0	24 2/3	9	3.28
2011	日本ハム	1	0	0	0	1	0	0.00
2016	日本ハム	7	0	1	0	15	5	3.00
2019	オリックス	2	0	0	0	2	0	0.00
2020	オリックス	10	2	0	1	31	5	1.45
2021	オリックス	8	4	3	0	36	17	4.25
通算６年		34	7	5	1	109 2/3	36	2.95

優しくしてね

Q&A
1お尻 2まっすー 3早起き 4首こり 5お風呂 6足が速い 7黄緑 9小顔ローラー 10子どもたち 11小学４年生 12色違いどっちも買う 13カンガルー 14炭酸ジュース 15YouTubeで釣りの動画 18自分の可能性を信じて 19昨年以上

投手 YAMAMOTO YOSHINOBU

18

山本 由伸

1998年8月17日(24歳) ／178cm・80kg／ AB型／
右投右打／6年目／岡山県／
都城高-オリックス(ドラフト4巡目・17～)

初 登 板 ▸ 2017.8.20(京セラドーム大阪)対ロッテ19回戦　先発(5回)
初 勝 利 ▸ 2017.8.31(ZOZOマリン)対ロッテ22回戦　先発(5回)
初 完 封 ▸ 2019.6.28(メットライフ)対西武10回戦
初セーブ ▸ 2018.5.1(京セラドーム大阪)対西武4回戦

[タイトル] ★最優秀防御率(19、21)　★最多勝利投手賞(21)
★最多奪三振(20、21)　★最高勝率(21)
[表　彰] ★最優秀選手賞(21)　★ベストナイン＜投＞(21)
★沢村賞(21)　★ゴールデングラブ賞(21)

球界を代表する“負けない”エース

東京オリンピックのゴールドメダリストにして、沢村賞投手。投手部門のタイトルを総ナメにした昨季の活躍は周知の事実。いまや、日本を代表する球界のエースと言っても過言ではない。独自の練習方法や食事面を含めた体調管理もまた、彼の一流の証といってもいい。全ての持ち球が、カウント球にもウイニングピッチにもなるのだから相手打者はたまったものじゃない。ここに習得途上のチェンジアップが加われば、投球の幅はどこまで広がるのか!? 昨季は球団記録の15連勝でシーズンを締めた。“負けない”エースが今季もチームをけん引する。

■ 公式戦個人年度別成績

年度	所属球団	試合	勝利	敗戦	セーブ	投球回数	自責点	防御率
2017	オリックス	5	1	1	0	23 2/3	14	5.32
2018	オリックス	54	4	2	1	53	17	2.89
2019	オリックス	20	8	6	0	143	31	1.95
2020	オリックス	18	8	4	0	126 2/3	31	2.20
2021	オリックス	26	18	5	0	193 2/3	30	1.39
通算５年		123	39	18	1	540	123	2.05

■ 二軍公式戦個人年度別成績

年度	所属球団	試合	勝利	敗戦	セーブ	投球回数	自責点	防御率
2017	オリックス	8	2	0	0	33 2/3	1	0.27
2018	オリックス	6	2	0	0	24	1	0.38
2019	オリックス	1	0	1	0	6	2	3.00
通算３年		15	4	1	0	63 2/3	4	0.57

本当に本当に本当に
感謝感謝です!!

Q&A ❶全球 ❷ヨシノブ ❹髭がよく生える ❺TV ❻家の鍵を閉め忘れたことはない ❼多分赤 ⓫小学１年生 ⓭猿 ⓲楽しくやるぞー!! ⓳勝つ勝つ勝つ!!

投手 YAMAOKA TAISUKE

19

山岡 泰輔

1995年9月22日(27歳) 172cm・68kg A型／
右投左打 6年目 広島県
瀬戸内高-東京ガス-オリックス(ドラフト1巡目・17～)

初登板 ▶ 2017.4.13(京セラドーム大阪)対ロッテ3回戦 先発(6回0/3)
初勝利 ▶ 2017.5.28(ZOZOマリン)対ロッテ8回戦 先発(6回)
初完封 ▶ 2017.8.26(メットライフ)対西武19回戦

[タイトル] ★最高勝率(19)

復活目指す屈託なきエース格

昨季は右ひじの不調もあり、9月にはクリーニング手術を受け離脱。優勝に向かうチームの輪の中にいない自分に歯痒さを覚えたであろうことは想像に難くない。それでも、日本シリーズの第5戦に救援で登板し、5カ月ぶりの一軍マウンドで勝利投手に。彼らしい“派手”な復活劇だった。先発ローテの中心を任せられる投手であることはこれまでの実績で証明済みだが、短いイニングを全力で抑えきる能力に長けていることもまた確か。先発で2桁勝利か、勝ちパターンを盤石にする切り札か。いずれにせよ、大きな戦力が戻ってきた。何とも心強い。

■ 公式戦個人年度別成績

年度	所属球団	試合	勝利	敗戦	セーブ	投球回数	自責点	防御率
2017	オリックス	24	8	11	0	149 1/3	62	3.74
2018	オリックス	30	7	12	0	146	64	3.95
2019	オリックス	26	13	4	0	170	70	3.71
2020	オリックス	12	4	5	0	69 1/3	20	2.60
2021	オリックス	12	3	4	0	69 1/3	30	3.89
通算5年		104	35	36	0	604	246	3.67

■ 二軍公式戦個人年度別成績

年度	所属球団	試合	勝利	敗戦	セーブ	投球回数	自責点	防御率
2017	オリックス	2	0	1	0	12	2	1.50
2019	オリックス	1	1	0	0	8	1	1.13
2020	オリックス	3	1	0	0	11 2/3	8	6.17
2021	オリックス	5	0	0	0	5	2	3.60
通算4年		11	2	1	0	36 2/3	13	3.19

“ありがとう”

Q&A ❷たいちゃん ❺ペット ❼赤 ❽AAA ⓫小学2年生 ⓯ポーカー ⓲楽しく ⓳日本一

投手　TAKEYASU DAICHI

21
竹安 大知

1994年9月27日(28歳)／183cm・83kg／O型／
右投右打／7年目／静岡県／伊東商高-熊本ゴールデンラークス-
阪神(ドラフト3巡目・16〜18)-オリックス(19〜)

初 登 板 ▶ 2017.10.5（甲子園）対中日24回戦　7回より救援(1回)
初 勝 利 ▶ 2017.10.5（甲子園）対中日24回戦　7回より救援(1回)
初 完 封 ▶ 2019.8.17（京セラドーム大阪）対ロッテ17回戦

マルチに活躍の貴重な右腕

昨季は故障なくシーズンを全うし、先発、リリーフに奮投した。幾度となくローテの谷間を見事に埋める活躍を見せた。ボールの強さや変化球のキレなど、彼の投手としての高い能力は誰もが認めるところ。決め球となるフォークボールの精度アップは今季のテーマのひとつ。心優しい右腕がローテーションの一角を本気で狙う！

熱い応援
ありがとうございます！

Q&A
❶投球フォーム ❷たけちゃん ❸ゴロゴロ ❹肌荒れ ❺猫の動画 ❻全商簿記1級 ❼紺 ❽『DOOR』コブクロ ❾アロマキャンドル ❿おいしそうなご飯 ⓫小学1年生 ⓬入浴剤 ⓭猫 ⓮たまご ⓯猫 ⓰ジャスミン ⓲無理せず頑張れ！ ⓳1年通して一軍の戦力

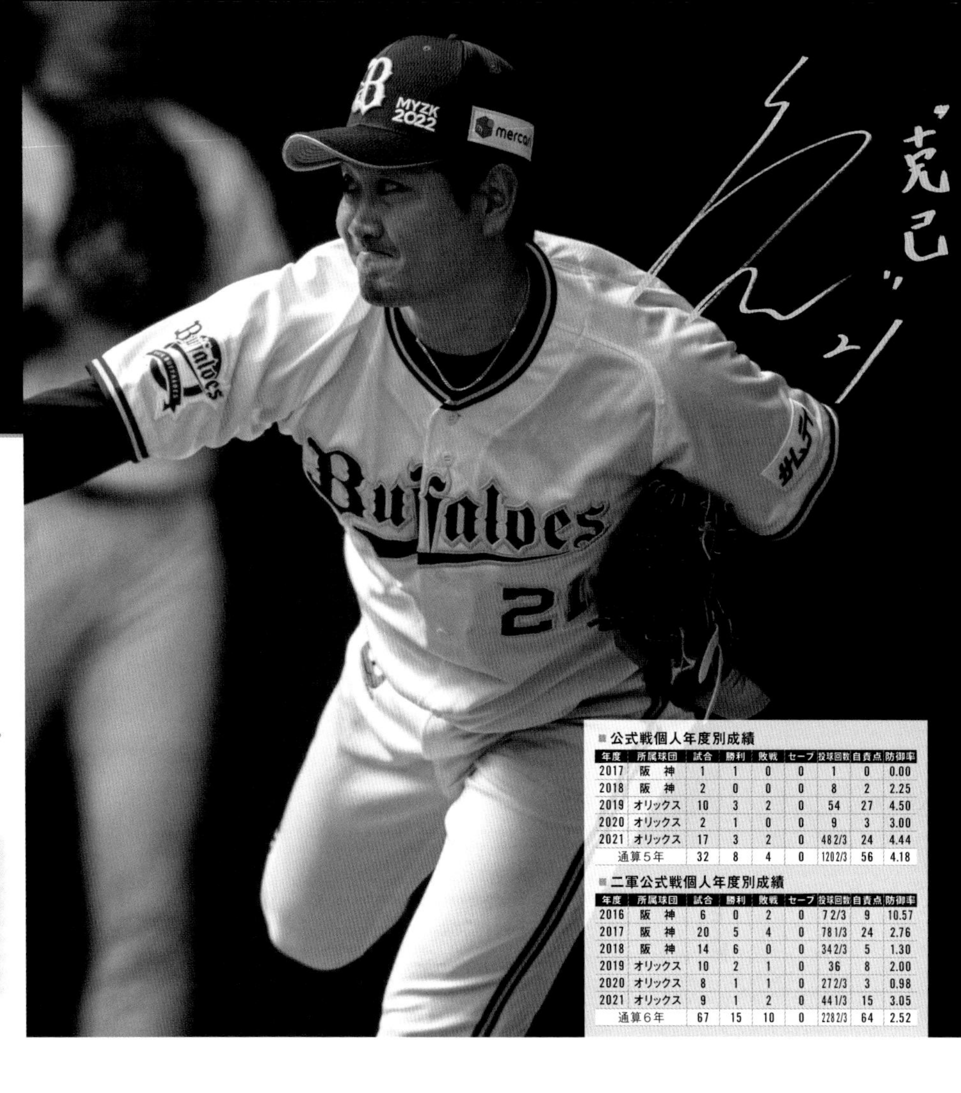

■公式戦個人年度別成績

年度	所属球団	試合	勝利	敗戦	セーブ	投球回数	自責点	防御率
2017	阪　神	1	1	0	0	1	0	0.00
2018	阪　神	2	0	0	0	8	2	2.25
2019	オリックス	10	3	2	0	54	27	4.50
2020	オリックス	2	1	0	0	9	3	3.00
2021	オリックス	17	3	2	0	48 2/3	24	4.44
通算5年		32	8	4	0	120 2/3	56	4.18

■二軍公式戦個人年度別成績

年度	所属球団	試合	勝利	敗戦	セーブ	投球回数	自責点	防御率
2016	阪　神	6	0	2	0	7 2/3	9	10.57
2017	阪　神	20	5	4	0	78 1/3	24	2.76
2018	阪　神	14	6	0	0	34 2/3	5	1.30
2019	オリックス	10	2	1	0	36	8	2.00
2020	オリックス	8	1	1	0	27 2/3	3	0.98
2021	オリックス	9	1	2	0	44 1/3	15	3.05
通算6年		67	15	10	0	228 2/3	64	2.52

■公式戦個人年度別成績

年度	所属球団	試合	勝利	敗戦	セーブ	投球回数	自責点	防御率
2020	オリックス	4	0	1	0	8	8	9.00
2021	オリックス	18	1	0	1	12	5	3.75
通算2年		22	1	1	1	20	13	5.85

■二軍公式戦個人年度別成績

年度	所属球団	試合	勝利	敗戦	セーブ	投球回数	自責点	防御率
2020	オリックス	8	2	1	0	22 1/3	9	3.63
2021	オリックス	16	1	0	0	16	0	0.00
通算2年		24	3	1	0	38 1/3	9	2.11

投手　MURANISHI RYOTA

22
村西 良太

1997年6月6日(25歳)／174cm・76kg／O型／
右投左打　3年目　兵庫県／
津名高-近畿大-オリックス(ドラフト3巡目・20〜)

初 登 板 ▶ 2020.6.25（ZOZOマリン）対ロッテ3回戦　先発(3回)
初 勝 利 ▶ 2021.6.3（甲子園）対阪神3回戦　7回より救援(1/3回)
初セーブ ▶ 2021.5.18（京セラドーム大阪）対ロッテ10回戦

キレで勝負のサイドハンド

昨シーズンはプロ初勝利、初セーブをマークするなど、一軍で一定の成果を上げ、“爪痕”を残すことはできた。ただ、目指す場所は、遥かその上にある。まずは一軍定着が最低条件となる。伸びのあるストレートに切れ味鋭いスライダーと、確かな“武器”は大きな強み。先発でも救援でも！ 3年目の今季に勝負を賭ける！

いつも応援ありがとうございます。
これからもよろしくお願いします

Q&A
①笑顔②ムラ③掃除④鼻づまり⑤猫⑥手首の音を永遠に鳴らすことができる⑦水色⑧Shurkn Pap⑨芳香剤⑩子ども⑪小学3年生⑫寿司を食べる⑬猫⑭ポン酢⑮ガードマン(YouTube)⑯AZUL BY MOUSSYのMERRILY⑱栄光に近道なし⑲50試合投げる

投　手　NOHMI ATSUSHI

26

能見 篤史

1979年5月28日(43歳)／180cm・74kg／AB型／
左投左打／18年目／兵庫県／
鳥取城北高-大阪ガス-阪神(ドラフト自由枠・05〜20)-オリックス(21〜)

初登板 ▶ 2005.4.3(大阪ドーム)対ヤクルト3回戦　先発(4回)
初勝利 ▶ 2005.4.24(横浜スタジアム)対横浜6回戦　先発(5回2/3)
初完封 ▶ 2007.8.18(京セラドーム大阪)対広島16回戦
初セーブ ▶ 2018.8.16(京セラドーム大阪)対広島17回戦

[タイトル] ★最多奪三振(12)

信頼厚いコーチ兼任球界最年長投手

コーチ兼任という難しい立場でありながら、現役の投手としても新天地で鮮やかに輝きを放ってみせた。通算1500奪三振や、史上初となる40歳以上の複数球団でのセーブは大きな勲章だ。経験と実績に裏打ちされた後輩投手へのアドバイスは金言として響いたに違いない。山本由伸が試合中にも助言を求めるほど、コーチとしての手腕も相当なものだ。そして、現役投手としての力量も、日本シリーズでの圧巻の投球が示す通り。チームにとって、その存在は今や余人を以って代えがたいものに。今季も若い投手陣を見守りながらけん引する。

公式戦個人年度別成績

年度	所属球団	登板	勝利	敗北	セーブ	投球回	自責点	防御率
2005	阪神	16	4	1	0	64 2/3	40	5.57
2006	阪神	38	2	4	0	47	26	4.98
2007	阪神	23	4	4	0	74	36	4.38
2008	阪神	11	0	0	0	11 1/3	6	4.76
2009	阪神	28	13	9	0	165	48	2.62
2010	阪神	12	8	0	0	62 1/3	18	2.60
2011	阪神	29	12	9	0	200 1/3	56	2.52
2012	阪神	29	10	10	0	182	49	2.42
2013	阪神	25	11	7	0	180 2/3	54	2.69
2014	阪神	26	9	13	0	169 1/3	75	3.99
2015	阪神	27	11	13	0	159 2/3	66	3.72
2016	阪神	26	8	12	0	147 1/3	60	3.67
2017	阪神	23	6	6	0	128 1/3	53	3.72
2018	阪神	45	4	3	1	56 1/3	16	2.56
2019	阪神	51	1	2	0	44	21	4.30
2020	阪神	34	1	0	1	24 2/3	13	4.74
2021	オリックス	26	0	0	2	22 1/3	10	4.03
通算17年		469	104	93	4	1739 1/3	647	3.35

二軍公式戦個人年度別成績

年度	所属球団	試合	勝利	敗戦	セーブ	投球回数	自責点	防御率
2005	阪神	10	3	0	0	38	6	1.42
2006	阪神	6	2	2	0	20	8	3.60
2007	阪神	7	6	0	0	43	12	2.51
2008	阪神	29	5	1	11	54 1/3	5	0.83
2010	阪神	2	1	1	0	8 1/3	0	0.00
2013	阪神	1	0	1	0	7	2	2.57
2018	阪神	5	3	0	0	21	0	0.00
2019	阪神	2	0	0	0	2	0	0.00
2020	阪神	2	0	0	0	2	0	0.00
2021	オリックス	1	0	1	0	5	4	7.20
通算10年		65	20	6	11	200 2/3	37	1.66

いつもありがとうございます

Q&A ❶投げっぷり ❹身体の硬さ ❻体重が変わらない ❼明るい色 ❽GReeeeN、Mr.Children ⓫小学３年生 ⓭カモシカ ⓮ブラックコーヒー ⓯お笑い ⓲何事もまずやってみること ⓳日本一

28

富山 凌雅

1997年5月3日(25歳)　178cm・84kg　AB型
左投左打　4年目　和歌山県
九州国際大付高-トヨタ自動車-オリックス(ドラフト4巡目・19～)

初 登 板 ▶ 2019.9.26(札幌ドーム)対日本ハム24回戦　7回より救援(2回)
初 勝 利 ▶ 2021.5.30(京セラドーム大阪)対ヤクルト3回戦　8回より救援(1回)

強気でタフなサウスポー

昨シーズンはシーズン当初から目標に置いていた50試合登板をクリア、チーム投手陣の中にあっては最多登板数でブルペンを支えた。優勝争いを演じるシーズン終盤には、勝ちパターンの継投の中に組み込まれ、見事、ベンチの期待に応えてみせた。入団当初は先発投手としての起用もあったが、今となっては、勝利の方程式のワンピースとして欠かせない存在に。「大事な場面で起用されるということは信頼されているから。そう思うと、やり甲斐はありますね」とやる気が満ちる。今季も、心優しくタフな左腕はチームのために目いっぱい腕を振る！

公式戦個人年度別成績

年度	所属球団	試合	勝利	敗戦	セーブ	投球回数	自責点	防御率
2019	オリックス	1	0	0	0	2	0	0.00
2020	オリックス	18	0	2	0	18 1/3	9	4.42
2021	オリックス	51	2	1	0	46 1/3	14	2.72
通算３年		70	2	3	0	66 2/3	23	3.11

二軍公式戦個人年度別成績

年度	所属球団	試合	勝利	敗戦	セーブ	投球回数	自責点	防御率
2019	オリックス	14	4	2	0	24	8	3.00
2020	オリックス	9	3	1	1	40	11	2.48
2021	オリックス	5	0	2	0	4 2/3	2	3.86
通算３年		28	7	5	1	68 2/3	21	2.75

いつも熱い応援ありがとうございます

Q&A
①強気のピッチング ②TOMMY ③娘の幼稚園の送り迎え、掃除 ④体をすぐぶつける ⑤娘と遊ぶ ⑥肩幅 ⑦黄色 ⑧AK-69 ⑨アロマ、ボディークリーム ⑩娘の写真 ⑪小学１年生 ⑫娘と遊ぶ、家族と買い物 ⑬ゴリラ ⑭アイス ⑮みんなでいこな ⑯甘い香り、ホワイトムスク ⑰『LOVER』AAA ⑱一つひとつ頑張れ ⑲チーム最多登板、50試合以上

投手 TAJIMA DAIKI

29

田嶋 大樹

1996年8月3日(26歳)　182cm・80kg　A型
左投左打　5年目　栃木県
佐野日大高-JR東日本-オリックス(ドラフト1巡目・18〜)

初登板 ▸ 2018.3.31(ヤフオクドーム)対ソフトバンク2回戦　先発(5回)
初勝利 ▸ 2018.3.31(ヤフオクドーム)対ソフトバンク2回戦　先発(5回)
初完封 ▸ 2020.9.16(ほっと神戸)対楽天14回戦

独自の感性が魅力のサウスポー

２シーズン連続で規定投球回をクリア。もはや、ローテーションを守り切るのが当たり前の、先発陣の核となる存在だ。野球に取り組むストイックな姿勢と、独特の感性もまた彼が有する大きな魅力。数字を見れば、まだまだ伸ばせる余地はあるはず。シーズン中の不調を克服した修正能力は“流石”の一言に尽きる。だからこそ、シーズンを通しての活躍に期待がかかる。８勝は立派な数字であることに間違いないが、彼のもつ能力からすれば、それが上限でないことは明らか。キャリアハイの更新は最低の目標ライン。２桁勝って、貯金が欲しい！

■ 公式戦個人年度別成績

年度	所属球団	試合	勝利	敗戦	セーブ	投球回数	自責点	防御率
2018	オリックス	12	6	3	0	68 2/3	31	4.06
2019	オリックス	10	3	4	0	49 2/3	19	3.44
2020	オリックス	20	4	6	0	122 1/3	55	4.05
2021	オリックス	24	8	8	0	143 1/3	57	3.58
通算４年		66	21	21	0	384	162	3.80

■ 二軍公式戦個人年度別成績

年度	所属球団	試合	勝利	敗戦	セーブ	投球回数	自責点	防御率
2018	オリックス	1	0	0	0	3	0	0.00
2019	オリックス	7	1	3	0	25	9	3.24
通算２年		8	1	3	0	28	9	2.89

今年も背中を押してください。
一人でも多くの人に勇気を与えられるよう努力します。
いつも本当にありがとうございます

Q&A
❶ストレート ❷タジ ❸掃除、断捨離 ❹(関西で)楽しみを探している ❺自然の香りを楽しむ、田んぼとか木々が多いところとかを歩く ❻運がいい ❼オレンジ ❽NeverChange ⓫小学３年生 ⓬そのときの気分で食べたいものを食べる ⓭猫 ⓮納豆 ⓯BORUTO-ボルト--NARUTO NEXT GENERATIONS- ⓰自然、木々とか土とか ⓲楽しむ！ ⓳一軍に居続ける

30

K-鈴木

1994年1月21日(28歳)　186cm・92kg／A型／
右投右打　5年目　千葉県／
千葉明徳高-国際武道大-日立製作所-オリックス(ドラフト2巡目・18～)

初 登 板 ▶ 2018.5.19(ほっと神戸)対西武7回戦　8回より救援(1回)
初 勝 利 ▶ 2019.5.18(京セラドーム大阪)対西武8回戦　先発(5回2/3)
初セーブ ▶ 2021.5.15(ほっと神戸)対楽天7回戦

力強い速球を磨いて勝ちパターンに

馬力、ポテンシャルは誰にも負けない。ここに安定感が加われば、"無敵"と表現しても、それは誇張でも何でもない。昨季、ファーム降格時に中嶋監督から与えられたテーマは"ストレートのブラッシュアップ"。その言葉には衝撃を受けたという。投手の基本である直球を見つめ直し、それと向き合った。本来、自分の強みであるはずのストレートを磨くという原点回帰が、シーズン後半の好投につながった。直球が生きれば、カーブ、スライダー、フォークなどの変化球も冴えわたる。一軍定着で、勝ちパターンの一角は誰にも渡さない。

■公式戦個人年度別成績

年度	所属球団	試合	勝利	敗戦	セーブ	投球回数	自責点	防御率
2018	オリックス	4	0	0	0	7 1/3	7	8.59
2019	オリックス	19	4	6	0	102 1/3	49	4.31
2020	オリックス	8	0	2	0	13 2/3	16	10.54
2021	オリックス	34	1	0	2	38 2/3	13	3.03
通算4年		65	5	8	2	162	85	4.72

■二軍公式戦個人年度別成績

年度	所属球団	試合	勝利	敗戦	セーブ	投球回数	自責点	防御率
2018	オリックス	26	3	4	0	88 1/3	28	2.85
2019	オリックス	5	1	1	0	35	3	0.77
2020	オリックス	29	2	4	11	37 2/3	16	3.82
2021	オリックス	10	0	1	1	10	2	1.80
通算4年		70	6	10	12	171	49	2.58

いつも温かいご声援
ありがとうございます

Q&A
❶俺のストレートを見よ ❷K ❸ゴルフ、買い物 ❺子ども ❻外国人と似たケツアゴ ❼黒、白 ❽AK-69 ❾化粧水 ❿子どもの写真 ⓫小学生 ⓬アイス!! ⓭キリン ⓮ゆずこしょう ⓯TikTok ⓰ルイ・ヴィトン ⓲いっぱいご飯を食べて、寝て、練習すること ⓳キャリアハイ

投手　HIGA MOTOKI

35

比嘉 幹貴

1982年12月7日(40歳) ／177cm・77kg／ A型／
右投右打／13年目／沖縄県／
コザ高-国際武道大-日立製作所-オリックス(ドラフト2巡目・10～)

初 登 板 ▸ 2010.8.13(西武ドーム)対西武16回戦　7回より救援(1/3回)
初 勝 利 ▸ 2010.9.4(スカイマーク)対ソフトバンク23回戦　5回より救援(1回1/3)
初セーブ ▸ 2018.8.4(ヤフオクドーム)対ソフトバンク14回戦

頼れるベテランは仕事キッチリ

ブルペン陣の中にあっては頼れる兄貴分。普段はユーモアを身にまとう、“癒し系”キャラだが、いざ、マウンドに向かう際の本気モードへの豹変ぶりは、まさにプロの仕事人が見せるそれ。昨季は目標だった50試合登板には届かなかったものの、登板時の活躍のインパクトは絶大だった。主戦場はチームがピンチの“修羅場”。厳しい場面を、涼しい顔で抑え込む。相手打者をあざ笑うかのようなスローカーブの痛快さを我々は知っている。「故障なく、シーズンを通して投げ通したい！」今季も頼れるベテランがブルペンを引っ張っていく！

■ 公式戦個人年度別成績

年度	所属球団	試合	勝利	敗戦	セーブ	投球回数	自責点	防御率
2010	オリックス	24	2	1	0	21 2/3	3	1.25
2011	オリックス	23	0	0	0	22 2/3	18	7.15
2012	オリックス	12	1	0	0	10	2	1.80
2013	オリックス	59	4	3	0	59 1/3	14	2.12
2014	オリックス	62	7	1	0	56 2/3	5	0.79
2015	オリックス	8	0	0	0	5	9	16.20
2016	オリックス	16	1	1	0	9 1/3	5	4.82
2017	オリックス	8	0	1	0	8 1/3	3	3.24
2018	オリックス	43	0	2	1	35 1/3	8	2.04
2019	オリックス	45	3	2	1	33 1/3	17	4.59
2020	オリックス	20	0	0	0	12 2/3	1	0.71
2021	オリックス	32	1	0	0	20 1/3	4	1.77
通算12年		352	19	11	2	294 2/3	89	2.72

■ 二軍公式戦個人年度別成績

年度	所属球団	試合	勝利	敗戦	セーブ	投球回数	自責点	防御率
2010	オリックス	4	1	0	0	4	1	2.25
2011	オリックス	15	0	0	1	13 2/3	5	3.29
2012	オリックス	9	0	1	0	10	4	3.60
2013	オリックス	6	0	0	0	5	0	0.00
2014	オリックス	1	0	0	0	1	0	0.00
2015	オリックス	6	0	1	0	6	5	7.50
2016	オリックス	21	0	2	2	20 2/3	7	3.05
2017	オリックス	43	3	1	2	35 1/3	4	1.02
2018	オリックス	12	0	0	1	12	1	0.75
2019	オリックス	4	0	0	0	2 2/3	0	0.00
2020	オリックス	8	1	2	0	7 2/3	6	7.04
2021	オリックス	7	0	1	2	6	3	4.50
通算12年		136	5	8	8	124	36	2.61

応援よろしくお願いします

Q&A ②がーひー ③家族と過ごす ④冷え性 ⑦黄色 ⑧NG HEAD ⑩東大寺 ⑪小学3年生 ⑫毎日ビール ⑭ビール ⑯シクラメン ⑱目標を持って日々頑張りましょう

投手　NAKAGAWA HAYATE

37
中川 颯

1998年10月10日(24歳)／184cm・80kg／A型
右投左打／2年目／神奈川県
桐光学園高-立教大-オリックス(ドラフト4巡目・21〜)

初登板▶2021.7.14(帯広)対日本ハム13回戦　7回より救援(1回)

光る投球術で一軍定着へ！

ルーキーイヤーにプロデビューは飾れたものの、一軍定着は叶わなかった。ファームでは、先発、リリーフの両面で経験を積んできた。プロの高いレベルを肌で感じることで得たものもある。クレバーなサブマリンが目指す舞台は一軍のマウンド。緩急を自在に操る自慢の投球術で、2年目の今季に勝負を賭ける。

いつもありがとうございます！
今年もよろしくお願い致します

Q&A ①アンダースロー ②はやて ③音楽を聴きながら歌う ④髪を切ろうか迷っている ⑤実家のペットの犬・インコ ⑥自慢をしない謙虚さ ⑦黄色、茶色 ⑧Avicii、湘南乃風 ⑨くし付きドライヤー ⑩愛車 ⑪小学1年生 ⑫長距離ドライブ ⑬ナマケモノ ⑭カルピス ⑮ガズレレチャンネル ⑯ココナッツ ⑰『squall』福山雅治 ⑱自分を貫け！ ⑲一軍で活躍する

■公式戦個人年度別成績

年度	所属球団	試合	勝利	敗戦	セーブ	投球回数	自責点	防御率
2021	オリックス	1	0	0	0	1	0	0.00
通算1年		1	0	0	0	1	0	0.00

■二軍公式戦個人年度別成績

年度	所属球団	試合	勝利	敗戦	セーブ	投球回数	自責点	防御率
2021	オリックス	41	2	2	1	40	5	1.13
通算1年		41	2	2	1	40	5	1.13

■二軍公式戦個人年度別成績

年度	所属球団	試合	勝利	敗戦	セーブ	投球回数	自責点	防御率
2020	オリックス	14	0	3	0	24	9	3.38
2021	オリックス	7	0	1	0	11	4	3.27
通算2年		21	0	4	0	35	13	3.34

投手　MAE YUITO

43
前 佑囲斗

2001年8月13日(21歳)／182cm・88kg／A型
右投右打／3年目／三重県
津田学園高-オリックス(ドラフト4巡目・20〜)

メンタルを強化して一軍デビューだ!

課題にしていたボールのキレには一定の成果も。変化球の精度向上も2年目にして、大きな進歩と言っていい。ルーキーイヤーに感じた"(プロとアマの)レベルの違い"を乗り越えつつあるのは確かなこと。昨季に感じ始めた手応えを確固たる自信に高めたい。自身が掲げた今季のテーマはメンタル強化。一軍デビューを目指す。

いつも応援ありがとうございます。
今年こそは一軍で活躍できるように
頑張るので、応援よろしくお願いします

Q&A ②前P ③映画鑑賞 ⑤ペット ⑦オレンジ ⑨優里 ⑩風景 ⑪小学1年生 ⑭醤油 ⑮コムドット、平成フラミンゴ ⑯甘い香り ⑰『赤い糸』 ⑱何事にも全力でやればプロ野球選手になれる可能性は必ずあるから頑張れ ⑲必ず一軍で投げる

投手　ABE SHOTA

45
阿部 翔太

1992年11月3日(30歳)／178cm・80kg／B型／
右投左打／2年目／大阪府／
酒田南高-成美大-日本生命-オリックス(ドラフト6巡目・21～)

初登板▶2021.4.30(京セラドーム大阪)対ソフトバンク7回戦　8回から救援(1/3回)

一軍定着へ、勝負の2年目！

社会人で実績を挙げてきたオールドルーキーも、プロの高く、厚い壁を前に苦しんだ。「即戦力として活躍を！」の誓いも虚しく、一軍登板は4試合に止まった。そこで痛感したのは、強靭なフィジカルとメンタルの必要性。若手が多くを占める投手陣にあっては、2年目にしてもはや中堅の域。目指すは一軍定着だ。

いつもご声援ありがとうございます。
今シーズンもよろしくお願いします!!

Q&A ❶強気の投球 ❷あべちゃん ❸娘と遊ぶ ❹鼻炎 ❺娘 ❻視力 ❼赤、黒 ❽AK-69、HAND DRIP ❾化粧水など ❿娘の写真 ⓫小学1年生 ⓬ショッピング ⓭ライオン ⓮コーヒー ⓯お笑い ⓰Dolce&Gabbana ⓲目指し続けてください ⓳一軍定着

■公式戦個人年度別成績

年度	所属球団	試合	勝利	敗戦	セーブ	投球回数	自責点	防御率
2021	オリックス	4	0	0	0	3 2/3	3	7.36
通算1年		4	0	0	0	3 2/3	3	7.36

■二軍公式戦個人年度別成績

年度	所属球団	試合	勝利	敗戦	セーブ	投球回数	自責点	防御率
2021	オリックス	10	1	1	0	15	4	2.40
通算1年		10	1	1	0	15	4	2.40

投手　HONDA HITOMI

46
本田 仁海

1999年7月27日(23歳)／181cm・74kg／A型／
右投左打／5年目／神奈川県／
星槎国際高湘南-オリックス(ドラフト4巡目・18～)

初登板▶2020.11.1(札幌ドーム)対日本ハム23回戦　先発(4回)

ブレイク目前の本格派

ここ2シーズンで3度、先発を任された。経験は成長を促し、進化の速度を助長する。成功と失敗の狭間で感じたのは、制球力とスタミナの重要性だったという。ブレイクが待たれるプロスペクトも早や5年目のシーズンを迎えようとしている。相手打者を押し込む"強い"ストレートは大きな強み。プロ初勝利を目指す！

いつも応援ありがとうございます!!
これからもよろしくお願いします!!

Q&A ❶ストレート ❷ひとみ ❸ドライブ ❹目の疲れ ❺YouTube ❻指ポキ ❼赤 ❽清水翔太 ❾美顔器 ❿スニーカー ⓫小学1年生 ⓬ハーゲンダッツを食べる ⓭うさぎ ⓮C.C.レモン ⓯ジャルジャルアイランド(お笑い) ⓰カモミール ⓱あまり行かない!! ⓲自分を信じてください!! ⓳白星を挙げる!!

■公式戦個人年度別成績

年度	所属球団	登板	勝利	敗北	セーブ	投球回	自責点	防御率
2020	オリックス	1	0	1	0	4	3	6.75
2021	オリックス	2	0	1	0	9 2/3	8	7.45
通算2年		3	0	2	0	13 2/3	11	7.24

■二軍公式戦個人年度別成績

年度	所属球団	試合	勝利	敗戦	セーブ	投球回数	自責点	防御率
2018	オリックス	5	0	2	0	15 2/3	8	4.60
2019	オリックス	17	2	4	2	57	15	2.37
2020	オリックス	14	4	5	0	78 2/3	36	4.12
2021	オリックス	18	2	10	0	90 2/3	51	5.06
通算4年		54	8	21	2	242	110	4.09

投手 KAIDA TOMOYUKI

47
海田 智行

1987年9月2日(35歳) ／179cm・85kg ／B型
左投左打 11年目 広島県
賀茂高-駒沢大-日本生命-オリックス(ドラフト4巡目・12〜)

初登板 ▶ 2012.4.1(ヤフードーム)対ソフトバンク3回戦 8回より救援
初勝利 ▶ 2013.4.17(西武ドーム)対西武5回戦 先発(6回)

頼れる左腕のリリーバー

昨季は夏場までファームでの調整に終始したが、優勝争いが激化した9月に一軍昇格。チームにとっての正念場で大きな戦力となったのはさすがだった。優勝の充実とは別に一軍に定着できなかった悔しさがあったのも事実。「故障なく！」と、今季もブルペンを支えるべく、ベテラン左腕が11年目のシーズンを見据える。

みなさんの応援が力の源です！

Q&A
❶気合い ❷海 ❸部屋の片付け ❹やりたいことの渋滞 ❺ハイボール ❻太陽の色のオーラを纏っているらしい ❼オレンジ ❽King Gnu ❾リップクリーム ❿紅葉 ⓫小学4年生 ⓬代行で帰ること ⓭うさぎ ⓮お好みソース ⓯たけだバーベキュー（アウトドア） ⓰洗剤のシャボンの香り ⓱『White Love』SPEED ⓲たんぱく質をしっかり取ろう！ ⓳チームの勝利に貢献

■公式戦個人年度別成績

年度	所属球団	試合	勝利	敗戦	セーブ	投球回数	自責点	防御率
2012	オリックス	31	0	4	0	56 1/3	19	3.04
2013	オリックス	35	2	5	0	78 1/3	34	3.91
2014	オリックス	19	0	1	0	19	16	7.58
2015	オリックス	48	2	2	0	41 1/3	12	2.61
2016	オリックス	50	1	3	0	45 1/3	14	2.78
2017	オリックス	12	0	1	0	10 2/3	7	5.91
2018	オリックス	4	0	0	0	2 2/3	4	13.50
2019	オリックス	55	1	2	0	49	10	1.84
2020	オリックス	6	0	1	0	4 1/3	7	14.54
2021	オリックス	16	0	1	0	10 1/3	3	2.61
通算10年		276	6	20	0	317 1/3	126	3.57

■二軍公式戦個人年度別成績

年度	所属球団	試合	勝利	敗戦	セーブ	投球回数	自責点	防御率
2012	オリックス	5	2	0	0	12 1/3	0	0.00
2013	オリックス	7	2	1	0	28	7	2.25
2014	オリックス	8	1	3	0	29 2/3	21	6.37
2015	オリックス	8	0	1	2	9	0	0.00
2016	オリックス	8	0	4	0	17 2/3	12	6.11
2017	オリックス	15	0	2	0	11 2/3	5	3.86
2018	オリックス	18	1	1	1	17 1/3	4	2.08
2019	オリックス	9	0	0	0	7	1	1.29
2020	オリックス	25	0	1	0	22	8	3.27
2021	オリックス	27	1	2	0	21 1/3	7	2.95
通算10年		130	7	15	3	176	65	3.32

■公式戦個人年度別成績

年度	所属球団	試合	勝利	敗戦	セーブ	投球回数	自責点	防御率
2016	オリックス	1	0	0	0	4	4	9.00
2018	オリックス	5	0	0	0	3 1/3	2	5.40
2019	オリックス	11	0	0	0	7	8	10.29
2020	オリックス	32	1	1	0	24 2/3	11	4.01
2021	オリックス	4	0	0	0	2 2/3	3	10.13
通算５年		53	1	1	0	41 2/3	28	6.05

■二軍公式戦個人年度別成績

年度	所属球団	試合	勝利	敗戦	セーブ	投球回数	自責点	防御率
2015	オリックス	8	0	3	0	10	16	14.40
2016	オリックス	20	3	7	0	73 2/3	43	5.25
2017	オリックス	10	2	3	0	38 2/3	22	5.12
2018	オリックス	40	2	1	0	33 2/3	5	1.34
2019	オリックス	33	3	1	0	24 2/3	3	1.09
2020	オリックス	13	0	0	0	11	0	0.00
2021	オリックス	49	1	1	1	42 2/3	7	1.48
通算７年		173	11	16	1	234 1/3	96	3.69

投手 SAITOH KOKI

48
齋藤 綱記

1996年12月18日(26歳) ／182cm・93kg ／O型
左投左打 8年目 北海道
北照高-オリックス(ドラフト5巡目・15〜)

初登板 ▶ 2016.9.12(Koboスタ宮城)対楽天21回戦 2回より救援(4回)
初勝利 ▶ 2020.7.31(札幌ドーム)対日本ハム10回戦 6回より救援(2/3回)

一軍定着で左封じの切り札に

優勝に湧いたシーズンも、一軍での登板は僅かに4試合。前年の32試合から大きく数字を落としてしまった。「調子自体は決して悪くなかった」と本人は振り返ったが、優勝に向かう戦いで力を発揮できなかった悔しさを十分に味わった。今季は一軍定着を最低ラインの目標に置き、50試合以上の登板を目指す！ 左封じは任せた！

期待に応えます

Q&A
❶情熱 ❷こうき ❸かまいたちのYouTube ❹脂肪 ❺かまいたちのYouTube ❻酒強い ❼黒 ❽MAMAMOO ❾耳かき ⓫小学3年生 ⓬ラーメンを食べる ⓭アリ ⓮だし醤油 ⓯かまいたち ⓰炭のにおい ⓲やるときやる ⓳50試合以上

投手 SAWADA KEISUKE

49 澤田 圭佑

1994年4月27日(28歳) ／178cm・96kg／B型／
右投左打／6年目／愛媛県／
大阪桐蔭高-立教大-オリックス(ドラフト8巡目・17〜)

初登板 ▸ 2017.3.31(京セラドーム大阪)対楽天1回戦 11回より救援完了(1回)
初勝利 ▸ 2018.5.4(ヤフオクドーム)対ソフトバンク7回戦 8回より救援(1回)

勝利の方程式の中で輝け！

登板数は４年前の47試合をピークに減少。昨季はキャンプの段階から右ひじの違和感を覚え、６月に一軍昇格を果たしたが定着できず、オフには右ひじのクリーニング手術を受けた。ここ数年は度重なる故障に苦しむも、有するポテンシャルは誰もが羨むほどのもの。故障からの復帰後は、ブルペンの核となり、勝ちパターンで輝きを！

いつも応援ありがとうございます

Q&A ❶全力投球 ❷さわちゃん ❸サウナ ❺コーヒー ❼金 ❾化粧水 ❿スニーカー ⓫幼稚園 ⓬スタバのコーヒー ⓭熊 ⓯イカゲーム ⓳1年間投げ切る

■公式戦個人年度別成績

年度	所属球団	試合	勝利	敗戦	セーブ	投球回数	自責点	防御率
2017	オリックス	13	0	2	0	13	6	4.15
2018	オリックス	47	5	0	0	49 2/3	14	2.54
2019	オリックス	28	2	2	0	26	14	4.85
2020	オリックス	24	0	2	0	21	8	3.43
2021	オリックス	14	0	0	0	14	6	3.86
通算５年		126	7	6	0	123 2/3	48	3.49

■二軍公式戦個人年度別成績

年度	所属球団	試合	勝利	敗戦	セーブ	投球回数	自責点	防御率
2017	オリックス	27	0	1	7	42 2/3	20	4.22
2018	オリックス	7	1	0	0	10	5	4.50
2019	オリックス	10	1	0	0	10	0	0.00
2020	オリックス	7	0	2	0	7	3	3.86
2021	オリックス	10	0	0	1	10	1	0.90
通算５年		61	2	3	8	79 2/3	29	3.28

投手 KUROKI YUTA

54 黒木 優太

1994年8月16日(28歳) ／179cm・85kg／A型／
右投左打／6年目／神奈川県／
橘学苑高-立正大-オリックス(ドラフト2巡目・17〜)

初登板 ▸ 2017.3.31(京セラドーム大阪)対楽天1回戦 10回より救援(1回)
初勝利 ▸ 2017.5.16(京セラドーム大阪)対ソフトバンク9回戦 8回より救援(1回)
初セーブ ▸ 2017.6.4(東京ドーム)対巨人3回戦

強気のリリーバーが復活を誓う

トミー・ジョン手術からのリハビリを終え、一昨年暮れ、支配下に返り咲いた剛球右腕。一軍マウンドへの復帰は叶わなかったが、順調に回復のステップは踏めている。胸がすくような直球で押し切る強気のピッチングがトレードマーク。ルーキーイヤーの大車輪の活躍は誰もが知るところ。４年ぶりの一軍マウンド復帰が待ち遠しい。

いつも応援ありがとうございます

Q&A ❶ストレート ❷ジョニー ❸散歩 ❹ウエイト後の貧血 ❽倖田來未 ❿海 ⓫小学2年生 ⓳一軍復帰

■公式戦個人年度別成績

年度	所属球団	試合	勝利	敗戦	セーブ	投球回数	自責点	防御率
2017	オリックス	55	6	3	2	53 1/3	25	4.22
2018	オリックス	39	1	1	0	34	17	4.50
通算２年		94	7	4	2	87 1/3	42	4.33

■二軍公式戦個人年度別成績

年度	所属球団	試合	勝利	敗戦	セーブ	投球回数	自責点	防御率
2018	オリックス	6	0	1	0	5 1/3	6	10.13
2019	オリックス	7	1	0	0	6	0	0.00
2020	オリックス	2	0	0	0	2	0	0.00
2021	オリックス	17	1	0	2	16	11	6.19
通算４年		32	2	1	2	29 1/3	17	5.22

57
山田 修義

1991年9月19日（31歳）／184cm・90kg／B型／
左投左打／13年目　福井県／
敦賀気比高-オリックス（ドラフト3巡目・10〜）

初登板 ▸ 2010. 9. 5（スカイマーク）対ソフトバンク24回戦	先発（3回）
初勝利 ▸ 2016. 7. 27（ほっと神戸）対15回戦	先発（6回1/3）

冴える！ミールピッチのスライダー

あらゆる場面に起用されながらも、きっちり仕事をやってのける万能型のリリーバー。昨年6月22日の日本ハム戦（@京セラ）では、アクシデントで降板した山岡泰輔のあとを受け、初回からマウンドへ。急遽の登板にもかかわらず、2回2/3をしっかり抑え、チームのピンチを救い見事、勝利に導いた。回跨ぎも涼しい顔をしてやってのける貴重な戦力だ。左腕からの横滑りのスライダーは、左打者からは遠くへ切れよく逃げていき、右打者に対しては曲がり込んで懐を鋭くえぐる決め球だ。３年連続での40試合登板。今季もブルペンから獅子奮迅の活躍を！

■ 公式戦個人年度別成績

年度	所属球団	試合	勝利	敗戦	セーブ	投球回数	自責点	防御率
2010	オリックス	1	0	0	0	3	1	3.00
2012	オリックス	6	0	2	0	17 1/3	11	5.71
2013	オリックス	1	0	0	0	1 1/3	3	20.25
2015	オリックス	7	0	1	0	16 1/3	10	5.51
2016	オリックス	12	2	7	0	58 1/3	32	4.94
2017	オリックス	4	0	3	0	12 1/3	12	8.76
2018	オリックス	30	1	2	0	21 1/3	9	3.80
2019	オリックス	40	0	0	0	43	17	3.56
2020	オリックス	48	4	5	0	39 1/3	17	3.89
2021	オリックス	43	1	0	0	43 2/3	11	2.27
通算10年		192	8	20	0	256	123	4.32

■ 二軍公式戦個人年度別成績

年度	所属球団	試合	勝利	敗戦	セーブ	投球回数	自責点	防御率
2010	オリックス	13	3	3	0	54	20	3.33
2011	オリックス	13	0	3	0	40	23	5.18
2012	オリックス	21	5	7	0	96 1/3	26	2.43
2013	オリックス	16	5	4	0	63 2/3	18	2.54
2015	オリックス	15	5	1	0	55 1/3	27	4.39
2016	オリックス	3	1	1	0	9 2/3	11	10.24
2017	オリックス	19	4	8	0	94 2/3	28	2.66
2018	オリックス	16	4	3	0	37 2/3	14	3.35
2019	オリックス	19	0	0	0	14 1/3	1	0.63
2020	オリックス	1	1	0	0	1	0	0.00
2021	オリックス	5	0	1	0	4 1/3	3	6.23
通算11年		141	28	31	0	471	171	3.27

今シーズンも一軍でフル回転で頑張ります。応援よろしくお願いします

Q&A　①強気のピッチング ②ノブ ④お腹が出てきた ⑤ペット ⑦白、黒、黄色 ⑨化粧水 ⑩ペット ⑪小学１年生 ⑫靴を買うこと ⑭水 ⑮アニメ ⑰『チェリー』 ⑱一番になることを目指して頑張れ！ ⑲連覇！日本一！50試合以上登板！

投手　CESAR VARGAS

59 セサル・バルガス

1991年12月30日(31歳)／188cm・107kg／O型／
右投右打／2年目／メキシコ／
セントロ エスコラル ニニョス エロエス デ チャプルテペク高-
ニューヨーク・ヤンキース(10〜15)-サンディエゴ・パドレス(16〜17)-
ワシントン・ナショナルズ(18)-モンテレイ・サルタンズ(19)-BCL・茨城(21)-
モンテレイ・サルタンズ(21途)-BCL・茨城(21途)-オリックス(21途)

初登板 ▶ 2021.8.28(京セラドーム大阪)対ソフトバンク16回戦　7回より救援(2/3回)
初勝利 ▶ 2021.8.29(京セラドーム大阪)対ソフトバンク17回戦　7回より救援(2回)

動く球で勝負！ メキシコのシャーク

昨シーズン途中、BCリーグ・茨城から加入したメキシコ代表右腕。打者の内、外で鋭く動くボールが持ち味だ。パドレスのマイナー時代から、当時、アメリカにコーチ留学していた中嶋監督とは旧知の仲。不思議な縁がオリックスでのプレーを実現させた。先発、救援の両面OKのユーティリティーは貴重な存在。フル回転の投球を！

毎試合100%を出し切り、優勝を目指して戦います。
今年も引き続き応援よろしくお願いします。Go Buffaloes！

Q&A
❶両サイドで動くファストボール。諦めない気持ち、強い競争心 ❷シャーク ❸散歩、息子と遊ぶこと、テレビゲーム、レストランでの食事 ❹問題なし ❺アイスクリーム ❻プレイステーションでFIFAのゲーム ❼ネイビーブルー ❽メキシコの多くのシンガーたち ❾ヘヤーバンド ❿自分の家族(奥さんと息子) ⓫5歳のとき ⓬焼肉 ⓭サメ ⓮チーズ ⓯MLBデビュー ⓰いちご ⓱メキシコの歌 ⓲夢は実現する。一生懸命練習をして、プレーを楽しむこと ⓳ケガなく良いシーズンを送り、優勝すること

■公式戦個人年度別成績

年度	所属球団	試合	勝利	敗戦	セーブ	投球回数	自責点	防御率
2021	オリックス	5	1	1	0	9	11	11.00
通算1年		5	1	1	0	9	11	11.00

■二軍公式戦個人年度別成績

年度	所属球団	試合	勝利	敗戦	セーブ	投球回数	自責点	防御率
2021	オリックス	1	0	0	0	3 2/3	0	0.00
通算1年		1	0	0	0	3 2/3	0	0.00

投手　YAMAZAKI SOICHIRO

63 山﨑 颯一郎

1998年6月15日(24歳)／190cm・90kg／B型／
右投右打／6年目／石川県／
敦賀気比高-オリックス(ドラフト6巡目・17〜)

初登板 ▶ 2021.5.1(京セラドーム大阪)対ソフトバンク8回戦　7回より救援(1回)
初勝利 ▶ 2021.9.29(ZOZOマリン)対ロッテ21回戦　先発(5回2/3)

イケメン右腕がさらなる飛躍を誓う

そのポテンシャルから期待され続けた右腕が遂に開花。トミー・ジョン手術から支配下復帰、さらにはプロ初勝利に日本シリーズでの好投など、"ソウイチ"にとって、昨季は激動かつ飛躍のシーズンだったと言っていいだろう。長身から放たれる角度豊かな直球を軸に、変化球を磨いてさらなるレベルアップを！ ローテ定着を目指す。

Thank you always

Q&A
❶エクボの深さ ❷吹田の主婦 ❸寝起きスピーカーで音楽を聴く ❹常に首が張っている ❺実家の犬and猫 ❻雨男 ❼えんじ色 ❽ONE OK ROCK ❾顔パック ❿ニトリのソファー ⓫小学4年生 ⓬短距離移動タクシー ⓭馬 ⓮プリン ⓯きまぐれクック ⓰『別の人の彼女になったよ』wacci ⓲Dream ⓳1年間先発ローテで投げきる

■公式戦個人年度別成績

年度	所属球団	試合	勝利	敗戦	セーブ	投球回数	自責点	防御率
2021	オリックス	9	2	2	0	39	16	3.69
通算1年		9	2	2	0	39	16	3.69

■二軍公式戦個人年度別成績

年度	所属球団	試合	勝利	敗戦	セーブ	投球回数	自責点	防御率
2017	オリックス	6	2	1	0	23 1/3	12	4.63
2018	オリックス	20	5	7	0	100 1/3	52	4.66
2019	オリックス	6	2	2	0	35 2/3	15	3.79
2020	オリックス	2	1	0	0	3	0	0.00
2021	オリックス	13	1	5	0	59 1/3	22	3.34
通算5年		47	11	15	0	221 2/3	101	4.10

投手 URUSHIHARA TAISEI

65

漆原 大晟

1996年9月10日(26歳)／182cm・85kg／B型／
右投左打／4年目／新潟県／
新潟明訓高-新潟医療福祉大-オリックス(ドラフト育成1巡目・19〜)

初 登 板 ▶ 2020. 8 .23(京セラドーム大阪)対西武12回戦　9回より救援完了(1回)
初 勝 利 ▶ 2021. 4 .22(京セラドーム大阪)対西武6回戦　9回より救援完了(1回)
初セーブ ▶ 2020. 8 .23(京セラドーム大阪)対西武12回戦

オールラウンドのリリーバーへ！

育成から支配下、そして一軍デビュー戦で初セーブをマークするなど、いわばトントン拍子でキャリアを積んできた。だが、飛躍を期した3年目はプロの厳しさを味わった。シーズン序盤にはクローザーという大役を任されたが、定着できず、セットアップやビハインド場面でのマウンドも託された。救援投手としてひと通りの役割はすべて経験できたわけだ。三振を狙って取れる力強いストレートに鋭いフォークは大きな魅力。将来の“真”のクローザーとして期待される器であることは間違いない。制球力を磨いて、勝ちパターンの継投に定着だ。

■ 公式戦個人年度別成績

年度	所属球団	試合	勝利	敗戦	セーブ	投球回数	自責点	防御率
2020	オリックス	22	0	0	2	23 2/3	9	3.42
2021	オリックス	34	2	2	2	35 2/3	12	3.03
通算２年		56	2	2	4	59 1/3	21	3.19

■ 二軍公式戦個人年度別成績

年度	所属球団	試合	勝利	敗戦	セーブ	投球回数	自責点	防御率
2019	オリックス	39	1	0	23	38 1/3	15	3.52
2020	オリックス	6	1	2	0	34	8	2.12
2021	オリックス	8	0	0	1	8 2/3	5	5.19
通算３年		53	2	2	24	81	28	3.11

いつもご声援ありがとうございます。
何事も全力で取り組みます。
これからもご声援宜しくお願いします

Q&A
❶ストレート、笑顔 ❷うるし ❸掃除 ❹方向音痴 ❺映画 ❼青 ❽安室奈美恵 ❾ドライヤー ❿風景 ⓫小学２年生 ⓬アイスを食べる ⓭犬 ⓮お茶 ⓯韓国ドラマ ⓰SHIROの香水、INTRODUCTION ⓲コツコツが勝つコツ ⓳キャリアハイ

66

吉田 凌

1997年6月20日(25歳)／181cm・80kg／A型／
右投右打／7年目／兵庫県／
東海大相模高-オリックス(ドラフト5巡目・16～)

初登板 ▶ 2017.10.3((札幌ドーム)対日本ハム24回戦　先発(2回2/3)
初勝利 ▶ 2020.8.15(PayPayドーム)対ソフトバンク11回戦　5回より救援(1回)

決め球は“魔球”のスライダー

誰もが驚く独特の軌道を描くスライダーが最大の武器。前年につかんだ好感触で、さらなる飛躍を誓った昨シーズンだったが、一軍に昇格したのはシーズンも後半に入った8月になってから。それでも、重要な場面での起用で結果を残し、いつしか勝ちパターンの継投の一角を任せられるようになっていった。その役割はレギュラーシーズンのみならず、短期決戦でも変わることはなかった。クライマックスシリーズのファイナルステージと日本シリーズ、ポストシーズンの9試合中、7試合に登板した。貴重な経験を得て、今季は一軍でシーズン完走だ。

■公式戦個人年度別成績

年度	所属球団	試合	勝利	敗戦	セーブ	投球回数	自責点	防御率
2017	オリックス	1	0	1	0	2 2/3	6	20.25
2019	オリックス	4	0	0	0	4 1/3	4	8.31
2020	オリックス	35	2	2	0	29	7	2.17
2021	オリックス	18	1	1	0	17	4	2.12
通算4年		58	3	4	0	53	21	3.57

■二軍公式戦個人年度別成績

年度	所属球団	試合	勝利	敗戦	セーブ	投球回数	自責点	防御率
2016	オリックス	12	2	2	0	42	27	5.79
2017	オリックス	16	6	5	0	83 2/3	22	2.37
2018	オリックス	10	3	2	0	32 1/3	15	4.18
2019	オリックス	29	3	0	1	26	4	1.38
2020	オリックス	7	1	0	0	5	2	3.60
2021	オリックス	17	1	1	1	14 2/3	9	5.52
通算6年		91	16	10	2	203 2/3	79	3.49

**いつも応援
ありがとうございます**

Q&A ❷RYO ❸YouTubeをめっちゃ見る ❺娘 ❼紺色 ❽Mrs. GREEN APPLE ❾顔パック ❿清水寺の夜景 ⓫小学1年生 ⓯YouTube ⓲野球を楽しむこと ⓳50試合登板

投手 CHO YAKU

98
張奕

1994年2月26日(28歳)／182cm・86kg／O型／
右投右打／6年目／台湾／
福岡第一高-日本経済大-オリックス(ドラフト育成1巡目・17〜)

初登板 ▶ 2019.5.16(ZOZOマリン)対ロッテ7回戦　8回より救援完了(2/3回)
初勝利 ▶ 2019.8.8(旭川)対日本ハム16回戦　先発(6回)

ブレイク間近のパワーピッチャー

潜在能力に長けた可能性溢れるパワー系投手も今季で早6年目を迎えた。期待された昨季はフォームを崩し、ファームでの調整に多くの時間を割くことに。先発のみならず、救援でのパフォーマンスも魅力十分で、最速158km/hの速球に大いなるロマンを感じない者はいない。制球とメンタル面の向上で、今季こそ一軍定着だ！

いつもご声援ありがとうございます。またよろしくお願いします

Q&A ①笑顔 ②YAKU ③本を読む ④花粉 ⑤子どもの成長 ⑥本を読むのにハマっている ⑦スカイブルー、黄色 ⑧梨泰院クラス『Ha Hyun Woo』 ⑨脱毛器 ⑩家族写真 ⑪小学3年生 ⑫お風呂上がりのアイス ⑬ヒョウ ⑭R-1ヨーグルト ⑮YouTubeのコムドット ⑯SHIROのホワイト ⑰『かごめ』 ⑱自分を信じろ ⑲気迫のピッチング

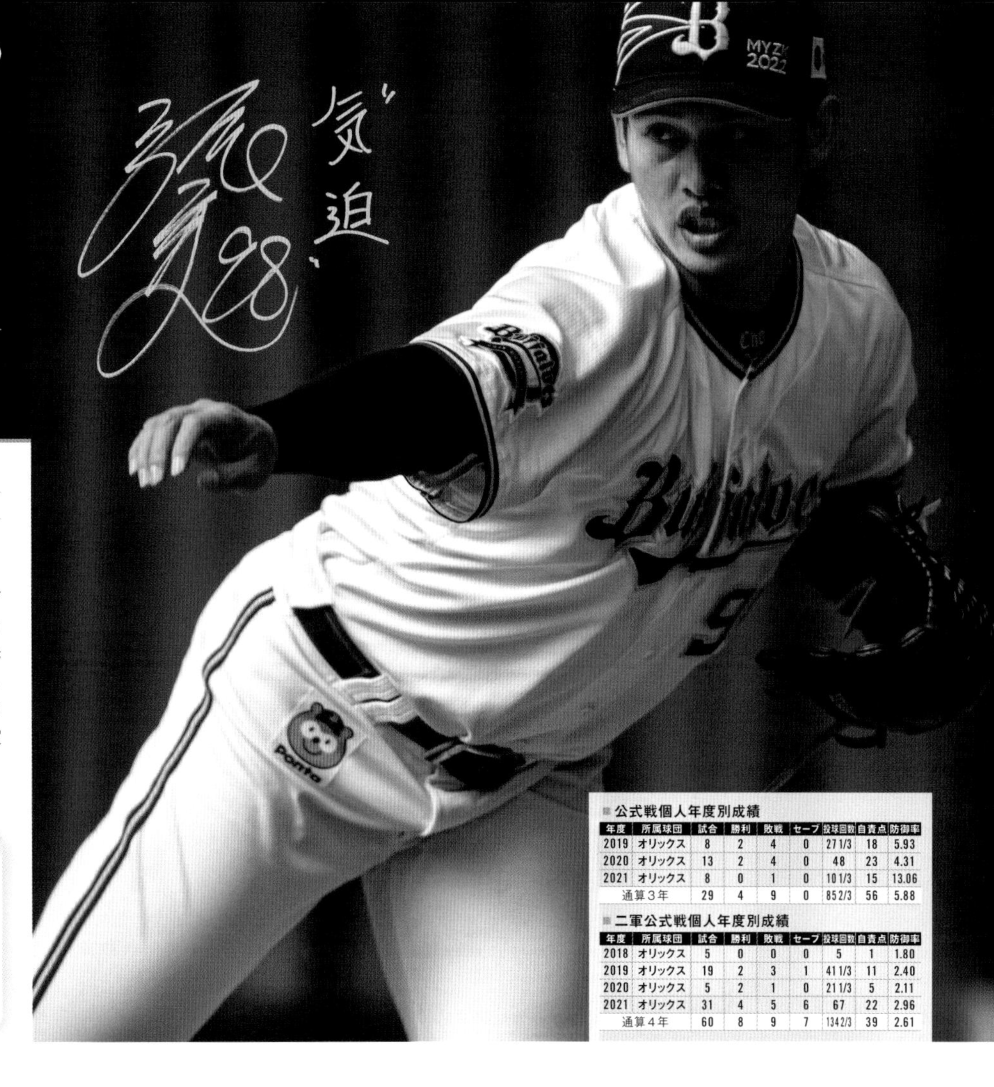

■公式戦個人年度別成績

年度	所属球団	試合	勝利	敗戦	セーブ	投球回数	自責点	防御率
2019	オリックス	8	2	4	0	27 1/3	18	5.93
2020	オリックス	13	2	4	0	48	23	4.31
2021	オリックス	8	0	1	0	10 1/3	15	13.06
通算3年		29	4	9	0	85 2/3	56	5.88

■二軍公式戦個人年度別成績

年度	所属球団	試合	勝利	敗戦	セーブ	投球回数	自責点	防御率
2018	オリックス	5	0	0	0	5	1	1.80
2019	オリックス	19	2	3	1	41 1/3	11	2.40
2020	オリックス	5	2	1	0	21 1/3	5	2.11
2021	オリックス	31	4	5	6	67	22	2.96
通算4年		60	8	9	7	134 2/3	39	2.61

投手　SATOH KAZUMA

001
佐藤 一磨

2001年4月16日（21歳）／190cm・91kg／AB型／
左投左打／3年目／神奈川県／
横浜隼人高-オリックス（ドラフト育成1巡目・20〜）

覚醒待たれる長身左腕

ファームでの登板は4試合（いずれも先発）。ウエスタン・リーグとはいえ、プロの公式戦で実戦の経験を得たことは大きな一歩。長身からの角度あるストレートを生かすために必要なのは制球力。同期入団の仲間の活躍は大きな刺激で「負けてはいられない！」と競争心に火が付いた！ まずはファームのローテに定着したい。

応援よろしくお願いします！

Q&A ❶身長 ❷一磨 ❸朝ご飯をゆっくり食べる ❹雨男！ ❻背が高い ❼青 ❽Mr.Children、SEKAI NO OWARI ❿高知のホテルから撮った花火 ⓫小学1年生 ⓭猿 ⓮梅干し ⓰桃 ⓲練習あるのみ！ ⓳強気に勝負

■二軍公式戦個人年度別成績

年度	所属球団	試合	勝利	敗戦	セーブ	投球回数	自責点	防御率
2020	オリックス	4	0	2	0	6 2/3	13	17.55
2021	オリックス	4	0	3	0	13 2/3	5	3.29
通算2年		8	0	5	0	20 1/3	18	7.97

投手　TANIOKA FUTA

002
谷岡 楓太

2001年8月29日（21歳）／176cm・85kg／O型／
右投右打／3年目／広島県／
武田高-オリックス（ドラフト育成2巡目・20〜）

得意のカーブで3年目に賭ける

飛躍を期して臨んだ2年目のシーズン、ウエスタン・リーグでの登板はなかったが、育成試合で実戦経験を積んできた。課題としていた制球力と球質の向上に関しては、昨秋のフェニックス・リーグで手応えを実感。良い感触を持って、シーズンを終えられた。勝負の3年目、得意のカーブを磨いて、まずはファームで実績を残したい。

今年は絶対飛躍してみせるので、応援よろしくお願いします！

Q&A ❶回転数のある真っ直ぐと落差のあるナックルカーブ ❷ふうた ❸掃除 ❹部屋の窓際の寒さ ❺映画 ❻大食い ❼赤 ❽ONE OK ROCK ❾ヘアオイル ❿高知城 ⓫小学1年生 ⓬コンビニのスイーツ ⓭熊 ⓮水 ⓯動物 ⓰ホワイトムスク ⓲やればできる ⓳支配下

■二軍公式戦個人年度別成績

年度	所属球団	試合	勝利	敗戦	セーブ	投球回数	自責点	防御率
2020	オリックス	1	0	0	0	1	3	27.00
通算1年		1	0	0	0	1	3	27.00

003
中田 惟斗

2001年9月13日(21歳)／181cm・92kg／A型／右投右打／3年目／和歌山県／大阪桐蔭高-オリックス(ドラフト育成3巡目・20〜)

確かなレベルアップで支配下へ

ルーキーイヤーはファームでクローザーを任され、期待感いっぱいで2年目を迎えたが、春先の故障でつまずいた。それでも、キャッチボールの段階から指のかかり具合を意識。それがストレートの球質向上に大きく寄与したという。3年目の今季、まずは故障なくシーズンを過ごすことを第一に、ファームでしっかり目立ちたい。

今年は支配下になれるように頑張るので応援よろしくお願いします

Q&A ❶マウンド度胸 ❷ゆいP ❸寝る ❹鼻づまり ❺映画 ❻ラーメン替え玉3玉以上 ❼黒、金 ❽JinDogg ❾化粧水 ❿風景 ⓫小学3年生 ⓬服を買う ⓭ライオン ⓮氷 ⓯ハリー・ポッター ⓰CHANEL ⓱『赤い糸』 ⓲一番輝け ⓳マウンド度胸

■二軍公式戦個人年度別成績

年度	所属球団	試合	勝利	敗戦	セーブ	投球回数	自責点	防御率
2020	オリックス	21	1	2	3	22	10	4.09
2021	オリックス	10	0	0	3	7 2/3	9	10.57
通算2年		31	1	2	6	29 2/3	19	5.76

投 手　MATSUYAMA MASAYUKI

008
松山 真之

2000年8月18日（22歳）／174cm・78kg／A型／
右投右打／3年目／東京都／
都立第四商業高-BCL・富山-オリックス（ドラフト育成8巡目・20〜）

球速、制球力向上でアピール

ルーキーイヤーに比べ、2年目はウエスタンでの登板数は大きく減少。本人が口にした「もっと投げたかった」の言葉はおそらく本音だろう。ただ、シーズン後半には手応えも。支配下目指す今季は、「ストレートなら球速、変化球であれば制球力をそれぞれ高めたい」と、今一度、投球の原点に立ち返って飛躍を誓う。

いつもありがとうございます。
これからもよろしくお願いします

Q&A ❶ストレート ❷まっちゃん、まつ ❸睡眠 ❹鼻づまり ❺睡眠 ❻6人兄弟 ❼緑 ❽乃木坂46 ❾ニベア ❿中田の夜食 ⓫小学2年生 ⓬オフの日のお菓子 ⓭鳥 ⓮炭酸水 ⓯電車 ⓰グローブ ⓲頑張ってください ⓳支配下

■二軍公式戦個人年度別成績

年度	所属球団	試合	勝利	敗戦	セーブ	投球回数	自責点	防御率
2020	オリックス	21	1	0	1	20	12	5.40
2021	オリックス	7	2	0	0	8	0	0.00
通算2年		28	3	0	1	28	12	3.86

投 手　KAWASE KENTO

011
川瀬 堅斗

2002年6月18日（20歳）／183cm・86kg／A型／
右投右打／2年目／大分県／
大分商高-オリックス（育成ドラフト1巡目・21〜）

新球体得で支配下目指す

プロ1年目、ウエスタン・リーグでの登板は2試合のみ。春のキャンプで披露した投球は、ルーキーイヤーからの活躍を予感させたが、なかなか現実は厳しかった。支配下を目指す上で決心したのは「ツーシームやフォークを覚えたい」という新球の習得だった。今季、クリアしたいのはファームでのローテーション定着だ。

いつもたくさんの応援
ありがとうございます

Q&A ❶笑顔 ❷けんとくん ❸昼まで寝る、ドラマ・映画を見る ❹夜がひま ❺ペットのハリーくん ❻口でシャボン玉がつくれる ❼ピンク ❽ベリーグッドマン ❾ペットのハリーくん ⓫3歳 ⓬オフ前のお風呂あがりのアイス ⓭犬 ⓮水 ⓯YouTube ⓰ソフランのアロマの香り（柔軟剤） ⓱『赤い糸』コブクロ ⓲努力は必ず報われます ⓳支配下登録

■二軍公式戦個人年度別成績

年度	所属球団	試合	勝利	敗戦	セーブ	投球回数	自責点	防御率
2021	オリックス	2	0	0	0	4	3	6.75
通算1年		2	0	0	0	4	3	6.75

投手　TSUJIGAKI TAKARA

012
辻垣 高良

2002年6月10日(20歳)／182cm・83kg／O型／
左投左打／2年目／兵庫県
学法福島高-オリックス(育成2巡目・21～)

2年目の進化に期待のサウスポー

ルーキーとしての昨季は故障に苦しんだ。思うような投球ができない歯痒さとの闘いに終始した。オフはケガをしない体づくりをテーマに、柔軟性と筋力アップに努めてきたという。強気の投球がウリの左腕が目指す今シーズンの目標は"ウエスタン・リーグでの５勝"。支配下を目指すための布石をしっかり打ちたい。

応援よろしくお願いします

Q&A ❶気持ち ❷ガッキー、たから ❸サウナ ❹コロナウイルス ❺ウエイトトレーニング ❻１日中寝れる ❼赤、黄色 ❽長渕剛 ❾香水 ❿ペータの顔写真 ⓫小学４年生 ⓬買い物 ⓭キタサンブラック ⓮お茶 ⓯EvisJap ⓰石鹸 ⓱『366日』清水翔太 ⓲楽しめ ⓳二軍戦5勝、支配下登録

投手　UDAGAWA YUKI

013
宇田川 優希

1998年11月10日(24歳)／184cm・92kg／O型／
右投右打／2年目／埼玉県／
八潮南高-仙台大-オリックス(育成ドラフト3巡目・21～)

決め球のフォークを磨いて勝負

ポテンシャル豊かなパワー系の本格派右腕も、１年目は好不調の波の大きさという課題に直面した。同年代の選手が一軍で活躍する姿を見て、刺激を受けないはずはない。「次は俺の番」との思いは強い。勝負球のフォークボールの精度を上げることが、支配下への近道。重く、強いボールで相手をねじ伏せる投球が見たい！

まだ試合で投げられていないのですが、力をつけチームに貢献できるように頑張ります。応援よろしくお願いします

Q&A ❶勢いのあるストレート ❷うだちゃん ❸音楽を聴く ❹寝起き腕が痺れる（潰して） ❺ペット ❻1週間で6kg痩せられた ❼青 ❽EXILE ❾アロマ ❿谷岡の変顔 ⓫小学２年生 ⓬コンビニで高い方の肉まんを買う ⓭熊 ⓮クーリッシュ（アイス） ⓲野球を楽しもう ⓳支配下

二軍公式戦個人年度別成績

年度	所属球団	試合	勝利	敗戦	セーブ	投球回数	自責点	防御率
2021	オリックス	1	0	0	0	2/3	1	13.50
通算１年		1	0	0	0	2/3	1	13.50

投　手　KONDOH TAISUKE

124
近藤 大亮

1991年5月29日(31歳)／177cm・80kg／O型／
右投右打／7年目／大阪府／
浪速高-大阪商業大-パナソニック-オリックス(ドラフト2巡目・16〜)

初 登 板 ▶ 2016.3.26(西武プリンス)対西武2回戦　先発(3回)
初 勝 利 ▶ 2017.8.10(京セラドーム大阪)対西武17回戦　8回より救援(1回)
初セーブ ▶ 2017.6.2(東京ドーム)対巨人1回戦

トミー・ジョンからの復活に期待

一昨年9月に受けたトミー・ジョン手術からのリハビリも順調で、全力投球も可能なまでに回復した。投げられない期間は徹底的に体の強化に専念、精神的にもたくましくなった。まずは、背番号を元に戻すためにアピールしたい。連覇に向けてはぜひとも欲しいワンピース。回転数豊かな“火の玉”ストレートの復活は近い！

どん底の時に支えてくれたみなさんに
恩返し。
その一心で頑張ります

Q&A ❶Perfect Body ❷たいにい、こんちゃん ❹車に鳥がやんちゃすること ❺子ども ❻ジャンプ力がある ❼赤 ❽TUBE ❾たまごっち ❿家族写真 ⓫小学3年生 ⓬いろんな選手の助手席に乗れる ⓭しば犬 ⓮もずく酢 ⓯お笑い ⓲自分を信じて突き進もう ⓳完全復活

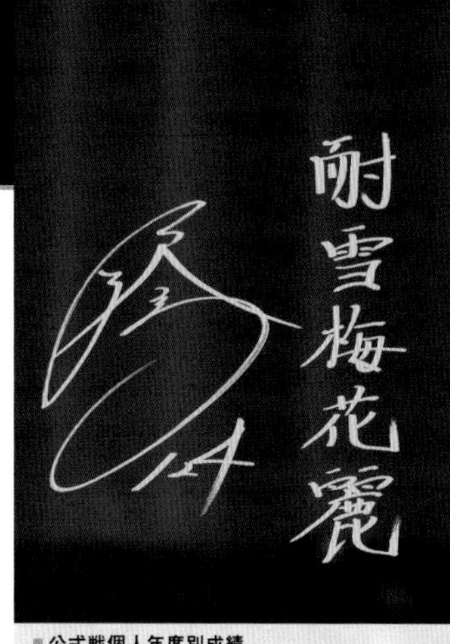

■公式戦個人年度別成績

年度	所属球団	試合	勝利	敗戦	セーブ	投球回数	自責点	防御率
2016	オリックス	1	0	0	0	3	0	0.00
2017	オリックス	55	1	1	1	55 2/3	19	3.07
2018	オリックス	52	3	3	0	54	20	3.33
2019	オリックス	52	4	6	1	49 2/3	19	3.44
通算4年		160	8	10	2	162 1/3	58	3.22

■二軍公式戦個人年度別成績

年度	所属球団	試合	勝利	敗戦	セーブ	投球回数	自責点	防御率
2016	オリックス	2	0	0	0	1 1/3	1	6.75
2017	オリックス	8	0	0	0	9	0	0.00
2018	オリックス	5	0	0	1	5	1	1.80
2019	オリックス	4	0	0	0	4	1	2.25
2020	オリックス	2	0	0	0	2	0	0.00
通算5年		21	0	0	1	21 1/3	3	1.27

投　手　SAKAKIBARA TSUBASA

125
榊原 翼

1998年8月25日(24歳)／180cm・95kg／AB型／
右投右打／6年目／千葉県／
浦和学院高-オリックス(ドラフト育成2巡目・17〜)

初 登 板 ▶ 2018.4.1(ヤフオクドーム)対ソフトバンク3回戦　8回より救援(0/3回)
初 勝 利 ▶ 2019.4.17(京セラドーム大阪)対日本ハム5回戦　先発(6回)

輝きを取り戻すためのリスタート

昨季は“らしさ”の欠片も見られなかった悔しいシーズンだった。「相手打者と勝負できず、自分に負けてしまった」とはまさに本音だろう。3桁の背番号はそんな悔しさの象徴。原点に立ち返っての再出発。躍動するような投球フォームが生み出す気持ちの入ったボールと、あの“バラ”スマイルの復活を期待して止まない！

ハラハラドキドキさせます

Q&A ❶気持ち ❷バラ ❸長渕剛さんのライブを見る ❺長渕剛 ❼ピンク ❽長渕剛 ⓫小学4年生 ⓭豚 ⓮一味 ⓯長渕剛 ⓱『Myself』 ⓳頑張る

■公式戦個人年度別成績

年度	所属球団	試合	勝利	敗戦	セーブ	投球回数	自責点	防御率
2018	オリックス	5	0	0	0	18	7	3.50
2019	オリックス	13	3	4	0	79 1/3	24	2.72
2020	オリックス	9	1	4	0	43 1/3	25	5.19
2021	オリックス	1	0	0	0	2 1/3	4	15.43
通算4年		28	4	8	0	143	60	3.78

■二軍公式戦個人年度別成績

年度	所属球団	試合	勝利	敗戦	セーブ	投球回数	自責点	防御率
2017	オリックス	13	2	1	3	12 1/3	2	1.46
2018	オリックス	35	2	2	1	59 1/3	15	2.28
2019	オリックス	2	1	0	0	7 1/3	0	0.00
2020	オリックス	10	4	1	0	51 1/3	21	3.68
2021	オリックス	14	4	1	0	47 1/3	33	6.27
通算5年		74	13	5	4	177 2/3	71	3.60

投手　AZUMA KOHEI

128
東 晃平

1999年12月14日(23歳)／178cm・83kg／O型／右投右打／5年目／兵庫県／神戸弘陵学園高-オリックス(ドラフト育成2巡目・18〜)

今季こそチャンスをつかんで支配下へ

ファームでは先発ローテに定着、ウエスタンの規定投球回はクリア。支配下候補と目されたが、シーズン後半の不調が痛かった。それでも、状態の良いときのパフォーマンスには確かな手応えも。タテに曲がり落ちる落差豊かなカーブに特徴も、「決め球を増やしたい！」と貪欲だ。5年目の今季、目指すはズバリ、支配下。勝負だ！

たくさんの応援ありがとうございます。これからも全力で頑張ります

Q&A ❶全力プレー ❷あずまくん ❸ゲーム ❹肩こり ❺ゲーム ❼黒 ❽BTS ❾化粧水 ⓫小学２年生 ⓬ゲームの課金 ⓭オオカミ ⓮水 ⓯APEX ⓰花系 ⓱『最後の雨』 ⓲夢に向かって頑張れ!! ⓳支配下

■二軍公式戦個人年度別成績

年度	所属球団	試合	勝利	敗戦	セーブ	投球回数	自責点	防御率
2019	オリックス	19	5	7	0	96	41	3.84
2020	オリックス	6	0	2	0	18 1/3	14	6.87
2021	オリックス	18	5	9	1	88 1/3	39	3.97
通算３年		43	10	18	1	202 2/3	94	4.17

捕　手　WAKATSUKI KENYA

2

若月 健矢

1995年10月4日(27歳)／180cm・88kg／O型／
右投右打／9年目／埼玉県／
花咲徳栄高-オリックス(ドラフト3巡目・14～)

初出場	▶2015.5.1 (京セラドーム大阪)対ソフトバンク7回戦	10回代走
初安打	▶2015.9.28 (京セラドーム大阪)対楽天25回戦	3回左安打(戸村)
初本塁打	▶2017.10.6 (ヤフオクドーム)対ソフトバンク25回戦	5回(千賀)
初打点	▶2016.6.29 (那覇)対楽天11回戦	4回(釜田)

エースのベストパートナー

シーズン序盤は三番手捕手的な立場で、なかなか出番をもらえず苦しんだ。その間はベンチからの観察で配球を学び、頻繁に足を運んだブルペンでは、投手のボールを数多く受けた。控えの時間を有効に使い、捕手としての感性を磨いていたということか。その甲斐あって、シーズン半ばから徐々に出番も増え、特に山本由伸の受け手として抜群の相性を示したのは周知のとおり。「若月さんに助けられました」と、エースは彼のリードを絶賛。チームの連勝記録更新や沢村賞受賞を後押しした。今季も厳しい正捕手争いで生き抜いていく。

■公式戦個人年度別成績

年度	所属球団	試合	打数	安打	本塁打	打点	盗塁	打率
2015	オリックス	5	11	1	0	0	0	.091
2016	オリックス	85	229	52	0	20	0	.227
2017	オリックス	100	218	44	1	18	0	.202
2018	オリックス	114	269	66	1	27	1	.245
2019	オリックス	138	298	53	1	21	2	.178
2020	オリックス	75	192	46	3	19	2	.240
2021	オリックス	68	117	25	5	16	1	.214
通算7年		585	1334	287	11	121	6	.215

■二軍公式戦個人年度別成績

年度	所属球団	試合	打数	安打	本塁打	打点	盗塁	打率
2014	オリックス	57	157	36	4	26	1	.229
2015	オリックス	90	242	56	4	22	0	.231
2016	オリックス	30	85	19	0	6	0	.224
2017	オリックス	1	3	0	0	0	0	.000
2018	オリックス	4	12	2	1	2	0	.167
2019	オリックス	2	8	4	0	1	0	.500
2021	オリックス	3	9	4	1	1	0	.444
通算7年		187	516	121	10	58	1	.234

頑張ります！

Q&A ❶笑顔 ❷月光デカ ❸岩盤浴 ❹駐車 ❺猫(モナカくん／茶トラ) ❻あごの骨を鳴らして音階がとれる ❼水色、赤 ❽中島みゆき ❾ストレッチポール ❿MY猫 ⓫小学1年生 ⓬岩盤浴で高い水を飲む ⓭猫 ⓮ポン酢 ⓯ひろゆき、コナンラジオ ⓰淹れたてのコーヒー ⓱尾崎豊 ⓲メリハリをしっかり!! ⓳V2、日本一

捕　手　FUSHIMI TORAI

23

伏見 寅威

1990年5月12日(32歳)／182cm・87kg／AB型／
右投右打／10年目／北海道／
東海大付四高-東海大-オリックス(ドラフト3巡目・13～)

初出場	2013.4.29(札幌ドーム)対日本ハム6回戦	8回捕手
初安打	2013.4.29(札幌ドーム)対日本ハム6回戦	9回右中二(鍵谷)
初本塁打	2013.8.3(ほっと神戸)対ロッテ13回戦	9回(益田)
初打点	2013.8.3(ほっと神戸)対ロッテ13回戦	7回(服部)

正捕手へ！不死身の伏見

アキレス腱断裂の大ケガから復帰してからの2シーズンは着実に出場試合数が増え、捕手としての存在感は増す一方だ。多彩な投手陣からの信頼も厚く、鋭い洞察力と直感で投手の強みを引き出すリードが大きな強みだ。自己最多の出場試合数をマークしたシーズンでの優勝は捕手として勝利に貢献できた証だ。打者としての勝負強い打撃も魅力で、実際のアベレージ以上のものを感じさせる。「キャッチャーとして、まだまだ突き詰めたいこともある。今季は100試合以上の出場を」と、現状に満足することはない。正捕手への"TRY"は続く。

■公式戦個人年度別成績

年度	所属球団	試合	打数	安打	本塁打	打点	盗塁	打率
2013	オリックス	17	28	7	1	2	0	.250
2014	オリックス	7	5	0	0	0	0	.000
2015	オリックス	20	22	6	0	0	0	.273
2016	オリックス	17	33	8	0	1	0	.242
2017	オリックス	4	1	0	0	0	0	.000
2018	オリックス	76	186	51	1	17	0	.274
2019	オリックス	39	61	10	1	9	0	.164
2020	オリックス	71	189	49	6	23	0	.259
2021	オリックス	91	238	52	4	25	0	.218
通算9年		342	763	183	13	77	0	.240

■二軍公式戦個人年度別成績

年度	所属球団	試合	打数	安打	本塁打	打点	盗塁	打率
2013	オリックス	43	115	38	0	17	1	.330
2014	オリックス	63	187	58	5	33	0	.310
2015	オリックス	44	137	25	1	14	0	.182
2016	オリックス	38	112	24	1	12	0	.214
2017	オリックス	77	241	61	1	33	0	.253
2018	オリックス	5	15	6	1	2	0	.400
2019	オリックス	2	8	2	0	0	0	.250
2021	オリックス	1	1	0	0	0	0	.000
通算8年		273	816	214	9	111	1	.262

今年もみんなで盛り上がりましょう！

Q&A ❶見たいところを見てください ❷とらお ❸トイレ掃除 ❹肌荒れ ❺犬 ❻逆立ち ❼黒、白 ❽BTS ❾ディフューザー ❿金沢の海鮮丼 ⓫小学3年生 ⓬服を買う ⓭カバ ⓮R-1 ⓯ゴルフ ⓰パク・ソジュン愛用の香水 ⓱尾崎豊 ⓲元気に明るく頑張ってください ⓳キャリアハイ！ 優勝!!

捕手 MATSUI MASATO

33 松井 雅人

1987年11月19日(35歳) 179cm・81kg A型
右投左打 13年目 群馬県
桐生一高-上武大-中日(ドラフト7巡目・10～19途)-オリックス(19～途)

初出場	2010.3.28(ナゴヤドーム)対広島3回戦	8回代打
初安打	2010.3.30(神宮)対ヤクルト1回戦	7回中安打(吉川)
初本塁打	2014.7.10(神宮)対ヤクルト12回戦	9回(江村)
初打点	2013.5.31(札幌ドーム)対日本ハム3回戦	2回(ウルフ)

クールな捕手陣の頼れる兄貴分

昨季は出場機会の減少で、優勝の喜びの裏側で悔しい思いも。ただ、ベンチやファームで過ごした時間は客観的な判断力を養い、後輩捕手や投手陣とのより密なコミュニケーションを生んだ。捕手陣では最年長。後輩への助言は惜しまないが、「試合に出るのが大前提」と、後進へ道を譲る気などさらさらない。そこがまた頼もしい。

いつも応援ありがとうございます

Q&A
❶一生懸命なところ ❷ミヤビ ❸毎朝のコーヒータイム ❹乾燥 ❺子ども ❽懐メロ ❾パック ❿日の出 ⓫小学2年生 ⓬顔パック ⓭キツネ ⓮コーヒー ⓯韓国ドラマ ⓰スッキリ系 ⓲楽しく、とことん楽しく ⓳日本一

■公式戦個人年度別成績

年度	所属球団	試合	打数	安打	本塁打	打点	盗塁	打率
2010	中日	13	14	1	0	0	0	.071
2011	中日	10	11	3	0	0	0	.273
2012	中日	4	2	0	0	0	0	.000
2013	中日	45	63	9	0	3	1	.143
2014	中日	67	142	25	1	4	3	.176
2015	中日	51	133	18	0	7	2	.135
2016	中日	4	7	1	0	0	0	.143
2017	中日	87	208	46	2	17	0	.221
2018	中日	92	218	50	2	22	0	.229
2019	中日	20	33	7	0	2	0	.212
2019	オリックス	24	36	7	0	2	0	.194
2020	オリックス	23	36	8	1	4	0	.222
2021	オリックス	10	7	0	0	0	0	.000
通算12年		450	910	175	6	61	6	.192

■二軍公式戦個人年度別成績

年度	所属球団	試合	打数	安打	本塁打	打点	盗塁	打率
2010	中日	29	55	14	2	8	1	.255
2011	中日	61	125	34	1	9	2	.272
2012	中日	52	79	9	0	7	0	.114
2013	中日	13	28	12	2	8	0	.429
2014	中日	13	33	4	0	0	0	.121
2015	中日	18	20	2	0	0	0	.100
2016	中日	62	146	26	1	14	1	.178
2017	中日	3	8	0	0	0	0	.000
2018	中日	5	8	1	0	0	0	.125
2019	中日	16	35	5	0	2	1	.143
2020	オリックス	4	5	0	0	0	0	.000
2021	オリックス	25	45	10	0	4	0	.222
通算12年		301	587	117	6	52	5	.199

捕手 TONGU YUMA

44 頓宮 裕真

1996年11月17日(26歳) 182cm・103kg AB型
右投右打 4年目 岡山県
岡山理科大附高-亜細亜大-オリックス(ドラフト2巡目・19～)

初出場	2019.3.29(札幌ドーム)対日本ハム1回戦	先発三塁手
初安打	2019.3.29(札幌ドーム)対日本ハム1回戦	1回右安打(上沢)
初本塁打	2019.4.18(ほっと神戸)対日本ハム6回戦	7回(加藤)
初打点	2019.3.29(札幌ドーム)対日本ハム1回戦	1回(上沢)

攻撃型捕手が狙うは2桁本塁打

開幕スタメンマスクを勝ち取るなど、最高のスタートを切った昨季だったが、徐々に出場機会が減少。数字としてはキャリアハイも、多くの課題が見つかった。強みは誰もが認める力強いバッティング。決意も新たに迎える4年目のシーズン。攻撃型の捕手として、今季こそ1年目から目標に置く2桁ホームランを狙いにいく！

いつもありがとう！

Q&A
❶太もも ❷とん ❺娘 ❻太もも ❼明るい色 ❽Bigfumi ❿家族写真 ⓫小学1年生 ⓬欲しい物はすぐ買う！ ⓭ゴリラ ⓮R-1 ⓰エンジンの香り(ボート) ⓲ご飯いっぱい食べよう ⓳ホームランいっぱい打つ

■公式戦個人年度別成績

年度	所属球団	試合	打数	安打	本塁打	打点	盗塁	打率
2019	オリックス	28	91	18	3	10	0	.198
2020	オリックス	12	32	10	2	5	0	.313
2021	オリックス	46	112	26	5	14	0	.232
通算3年		86	235	54	10	29	0	.230

■二軍公式戦個人年度別成績

年度	所属球団	試合	打数	安打	本塁打	打点	盗塁	打率
2019	オリックス	26	80	22	3	11	0	.275
2020	オリックス	20	58	15	4	13	1	.259
2021	オリックス	40	103	16	1	10	0	.155
通算3年		86	241	53	8	34	1	.220

捕　手　NAKAGAWA TAKUMA

62
中川 拓真

2002年7月17日(20歳)／178cm・87kg／B型／
右投右打／2年目／愛知県／
豊橋中央高-オリックス(ドラフト5巡目・21〜)

向上心溢れる強肩捕手

高校時代は自らの有する技量にある程度の自信があった。だが、プロで実感したのはキャッチング、ブロッキング、リード面でのアマチュアとのレベルの違い。そんなルーキーイヤーで怠らなかったことは配球面の勉強だった。一軍の試合を観ながらチャートをつけるなど、先輩捕手の技術を参考にした。２年目の成長ぶりが楽しみだ。

**いつも応援ありがとうございます。
今年からもっとパワーアップするので、
応援のほどよろしくお願いします**

Q&A ❶元気 ❷たくま ❸部屋の掃除 ❹乾燥にやられる ❺ペーた ❻ソファが大きい ❼黒 ❽ZARD、清水翔太 ❾スキンケアセット ❿ペーたの顔面⓫小学１年生 ⓬服を買う ⓭ゴリラ ⓮コーラゼロ ⓯東海オンエア ⓰柔軟剤 ⓱『最後の雨』 ⓲バットを振り続けましょう！ ⓳二軍で半分以上スタメンで出場する

■二軍公式戦個人年度別成績

年度	所属球団	試合	打数	安打	本塁打	打点	盗塁	打率
2021	オリックス	14	29	8	0	0	0	.276
通算１年		14	29	8	0	0	0	.276

捕　手　TSURUMI RYOYA

005
鶴見 凌也

2001年11月22日(21歳)／174cm・75kg／O型／
右投右打／3年目／茨城県／
常盤大高-オリックス(ドラフト育成5巡目・20〜)

成長止まらない3年目、強肩で魅せる！

２年目の昨季はウエスタン・リーグでの公式戦出場が叶い、初打席でヒットを放つなど、大きな一歩を踏み出せた。だが、一方で課題も。「捕手として、チームを勝利に上手く導けませんでした」と本人は反省する。彼の強みは肩の強さ。 スローイングの精度を高めて、ファームでの出番を増やしたい。今季は勝てる捕手を目指す。

**いつも応援してくださり
ありがとうございます**

Q&A ❶歯の白さ ❷つるみっち ❸Netflix ❹鼻づまり ❺サウナ ❻目を二重にできる ❼黒 ❽アリアナ・グランデ ❾加湿器 ❿オリックスが優勝した時の中継 ⓫小学3年生 ⓬見つけたらスタバを飲んでしまう ⓭パンダ ⓮水 ⓯歌系 ⓰使っている柔軟剤 ⓱『大阪LOVER』 ⓲ケガしないで頑張ってください ⓳支配下登録

■二軍公式戦個人年度別成績

年度	所属球団	試合	打数	安打	本塁打	打点	盗塁	打率
2021	オリックス	25	35	7	0	3	0	.200
通算１年		25	35	7	0	3	0	.200

捕手　TSURI JUI

014
釣 寿生

2002年6月30日（20歳）　180cm・85kg　O型
右投右打　2年目　兵庫県
京都国際高-オリックス（育成ドラフト4巡目・21～）

リード面での成長を誓う

捕手としてのルーキーイヤーは配球面など、勉強に追われたシーズンだったと言う。実感したのは、打者それぞれに対する根拠ある配球の大切さ。２年目に向かうオフはスローイングの安定につながる下半身の強化にも取り組んだ。扇の要の捕手として、しっかりとチームをまとめることも今季のテーマ。支配下へアピールする。

感謝します！

Q&A
❶肩 ❷じゅい ❸寝ます ❹部屋からトイレが遠い ❺映画 ❻逆立ち ❼赤 ❽ジャパニーズマゲニーズ ❾ティッシュ ❿1年目の人と撮影したやつ ⓫小学２年生 ⓬財布を買った ⓭ゴリラ ⓮お茶 ⓯平成クインテット ⓰甘い系 ⓱『恋するフォーチュンクッキー』⓲頑張れ ⓳支配下

■二軍公式戦個人年度別成績

年度	所属球団	試合	打数	安打	本塁打	打点	盗塁	打率
2021	オリックス	10	23	3	0	1	0	.130
通算1年		10	23	3	0	1	0	.130

内野手　ADACHI RYOICHI

3

安達 了一

1988年1月7日（34歳）／179cm・80kg／O型／
右投右打／11年目／群馬県／
榛名高-上武大-東芝-オリックス（ドラフト1巡目・12～）

初出場 ▸	2012.5.12（京セラドーム）対楽天8回戦	8回代走
初安打 ▸	2012.7.7（QVCマリン）対ロッテ10回戦	6回左中二（大谷）
初本塁打 ▸	2013.4.5（京セラドーム大阪）対西武1回戦	7回（岸）
初打点 ▸	2012.7.7（QVCマリン）対ロッテ10回戦	2回（渡辺）

静かなるも気高いキャプテンシー

2014年の悔しさを知るベテランが渋すぎる活躍で25年ぶりの優勝をしっかりサポート。本職のショートは後輩に譲ったが、慣れないセカンドでも好守を連発。内野の要としての存在感が色褪せることはなかった。若い内野陣のまとめ役として、周りには常に声をかけ、連系を深め、士気を高めるのに尽力。彼のキャプテンシーでチームの結束は強まった。若手にポジションを簡単に明け渡すつもりはないが、それでもチーム第一の姿勢は不変。自主トレから一塁手用のミットも用意した。 チームの将来を考えるチームリーダーとは尊い存在なのだ。

■ 公式戦個人年度別成績

年度	所属球団	試合	打数	安打	本塁打	打点	盗塁	打率
2012	オリックス	50	88	14	0	4	2	.159
2013	オリックス	131	395	93	5	30	16	.235
2014	オリックス	143	486	126	8	50	29	.259
2015	オリックス	139	506	121	11	55	16	.239
2016	オリックス	118	403	110	1	34	6	.273
2017	オリックス	109	316	64	3	26	4	.203
2018	オリックス	140	465	102	3	41	20	.219
2019	オリックス	56	155	43	2	20	10	.277
2020	オリックス	78	266	77	2	23	15	.289
2021	オリックス	100	321	83	0	18	5	.259
通算10年		1064	3401	833	35	301	123	.245

■ 二軍公式戦個人年度別成績

年度	所属球団	試合	打数	安打	本塁打	打点	盗塁	打率
2012	オリックス	34	130	35	2	11	3	.269
2013	オリックス	5	20	5	0	0	0	.250
2016	オリックス	4	10	3	0	0	0	.300
2017	オリックス	1	3	1	0	1	0	.333
2019	オリックス	16	44	8	0	2	2	.182
2021	オリックス	5	11	2	0	0	1	.182
通算６年		65	218	54	2	14	6	.248

いつもありがとうございます

Q&A
①守備 ②あだちさん ④睡眠時間が短くなっている ⑤息子、ペット ⑦黄色 ⑧ジャニーズWEST、なにわ男子 ⑩息子、ペット ⑪ソフトボールは小学４年生、野球は中学生 ⑭美酢（ミチョ） ⑮キャンプ動画 ⑱楽しむこと ⑲日本一

内野手 NISHINO MASAHIRO

5
西野 真弘

1990年8月2日(32歳) ／167㎝・71kg／O型／
右投左打／8年目／東京都／東海大付属浦安高-
国際武道大-JR東日本-オリックス(ドラフト7巡目・15～)

初出場 ▶ 2015.4.2(ヤフオクドーム)対ソフトバンク3回戦　5回代打
初安打 ▶ 2015.4.12(コボスタ宮城)対楽天3回戦　7回右安打(戸村)
初本塁打 ▶ 2015.4.29(京セラドーム大阪)対楽天5回戦　4回(美馬)
初打点 ▶ 2015.4.22(QVCマリン)対ロッテ5回戦　7回(藤岡)

再起のシーズンは打撃で勝負!

ここ2シーズンは極端に出番が減少。昨季に至ってはわずか18試合で、プロ入り後最少の数字だった。「まずは試合に出ること。活躍してチームに貢献したい」と、8年目のシーズンを前に決意を口にした。台頭する若手やルーキーにはまだまだ負けてはいられない。持ち前のシュアな打撃で、競争を勝ち抜いていく!

応援よろしくお願いします

Q&A
❶すべて ❷マサヒロ ❸とにかく寝る ❹乾燥 ❺犬(飼ってはいない) ❼赤 ❽AAA ❾ヘアオイル ❿実家の犬 ⓫小学3年生 ⓬グリーン車 ⓭サル ⓮R-1 ⓰ランバン ⓲ともに頑張ろう! ⓳とにかく活躍する

■公式戦個人年度別成績

年度	所属球団	試合	打数	安打	本塁打	打点	盗塁	打率
2015	オリックス	57	191	58	3	22	9	.304
2016	オリックス	143	538	142	2	33	16	.264
2017	オリックス	100	282	66	2	21	8	.234
2018	オリックス	60	188	55	0	16	7	.293
2019	オリックス	56	166	40	1	14	1	.241
2020	オリックス	23	69	17	0	3	0	.246
2021	オリックス	18	41	6	0	1	0	.146
通算7年		457	1475	384	8	110	41	.260

■二軍公式戦個人年度別成績

年度	所属球団	試合	打数	安打	本塁打	打点	盗塁	打率
2015	オリックス	3	9	3	0	0	1	.333
2017	オリックス	12	39	9	0	1	2	.231
2018	オリックス	28	86	21	0	5	2	.244
2019	オリックス	47	138	43	0	10	2	.312
2020	オリックス	22	64	23	0	8	0	.359
2021	オリックス	53	152	34	0	13	2	.224
通算6年		165	488	133	0	37	9	.273

内野手　MUNE YUMA

6

宗 佑磨

1996年6月7日(26歳)／181㎝・83kg／B型／
右投左打／8年目／東京都／
横浜隼人高-オリックス(ドラフト2巡目・15～)

初 出 場 ▸ 2016.9.18(ヤフオクドーム)対ソフトバンク24回戦　先発遊撃手
初 安 打 ▸ 2017.9.27(京セラドーム大阪)対日本ハム23回戦　5回左安打(斎藤)
初本塁打 ▸ 2018.4.30(京セラドーム大阪)対ソフトバンク6回戦　1回(中田)
初 打 点 ▸ 2018.4.3(京セラドーム大阪)対ロッテ1回戦　5回(石川)

［表　彰］★ベストナイン<三>(21)　★ゴールデングラブ賞<三>(21)

ホットコーナーは任せた！

　サードへのコンバートが彼の野球人生を変えた。新たなポジションで、誰もが認めていたアスリートとしての高いポテンシャルが遂に開花したのだ。それでも、「打撃にしても守備にしても、まだまだ粗削り」と更なる技量のブラッシュアップを誓う。ここ一番の場面での勝負強い打撃、チームの窮地を幾度となく救ったダイナミックな守備こそ、彼の最大の強み。ベストナインにゴールデングラブ、攻撃的な2番打者は一気にスターダムを駆け上がる。「本当のレギュラーと呼ばれるように」と浮かれる様子も見られない。その謙虚さがまた頼もしい！

■公式戦個人年度別成績

年度	所属球団	試合	打数	安打	本塁打	打点	盗塁	打率
2016	オリックス	3	4	0	0	0	0	.000
2017	オリックス	10	22	4	0	0	0	.182
2018	オリックス	74	266	62	5	22	3	.233
2019	オリックス	54	148	40	2	14	7	.270
2020	オリックス	72	182	41	1	9	5	.225
2021	オリックス	139	481	131	9	42	8	.272
通算6年		352	1103	278	17	87	23	.252

■二軍公式戦個人年度別成績

年度	所属球団	試合	打数	安打	本塁打	打点	盗塁	打率
2015	オリックス	16	21	7	0	1	0	.333
2016	オリックス	60	125	34	3	12	3	.272
2017	オリックス	104	383	107	1	34	8	.279
2018	オリックス	23	84	20	0	10	2	.238
2019	オリックス	48	154	41	1	25	8	.266
2020	オリックス	17	61	17	0	9	0	.279
2021	オリックス	2	4	0	0	1	0	.000
通算7年		270	832	226	5	92	21	.272

いつも応援ありがとうございます。
一緒に頑張りましょう！

Q&A
①笑顔 ②ムネリン ③目的のないドライブ ④寝つきが悪い ⑤一人映画 ⑥口笛 ⑦黒、緑、黄 ⑧MONKEY MAJIK ⑨香水たくさん持ってます ⑪小学3年生 ⑬犬 ⑭水 ⑮ジャルジャル、バカリズムのコント動画 ⑯柑橘系の香り ⑰『Marionette』BOØWY ⑱楽しめ！ ⑲日本一

内野手　OHSHIRO KOJI

10

大城 滉二

1993年6月14日(29歳)／175㎝・82kg／B型／
右投右打／7年目／沖縄県／
興南高-立教大-オリックス(ドラフト3巡目・16〜)

初出場 ▶ 2016.4.3(京セラドーム大阪)対ロッテ3回戦　先発遊撃手
初安打 ▶ 2016.4.3(京セラドーム大阪)対ロッテ3回戦　7回左安打(スタンリッジ)
初本塁打 ▶ 2017.7.17(ZOZOマリン)対ロッテ15回戦　9回(内)
初打点 ▶ 2016.6.25(ほっと神戸)対日本ハム8回戦　2回(有原)

復活を期す攻・守の仕事人

昨季8月のエキシビションマッチで、右ひざ前十字靭帯を痛める大ケガを負った。優勝争いの中で、チームの力になれない歯痒さを嫌というほど味わった。だが、今は「しっかり治して一日でも早くプレーを」と前を向く。広い守備範囲と、抜群のバットコントロールは職人技。背番号も「10」に戻った。早期復帰を！

日本一目指して頑張ります

Q&A
❶ポジショニング ❷こうじ ❹髪型 ❺ペット ❼黒 ❽かりゆし58 ❿ルクちゃん(ペット) ⓫小学1年生 ⓭フィリピンメガネザル ⓮キムチ ⓱『乾杯』 ⓲ライバルに負けないように努力!! ⓳復帰

■ 公式戦個人年度別成績

年度	所属球団	試合	打数	安打	本塁打	打点	盗塁	打率
2016	オリックス	64	161	36	0	7	1	.224
2017	オリックス	122	345	85	2	21	7	.246
2018	オリックス	128	377	87	4	28	15	.231
2019	オリックス	91	302	79	3	28	11	.262
2020	オリックス	94	251	52	1	14	7	.207
2021	オリックス	49	61	11	0	5	1	.180
通算6年		548	1497	350	10	103	42	.234

■ 二軍公式戦個人年度別成績

年度	所属球団	試合	打数	安打	本塁打	打点	盗塁	打率
2016	オリックス	35	122	35	0	9	5	.287
2017	オリックス	5	21	6	0	1	0	.286
2019	オリックス	1	3	2	0	2	0	.667
2020	オリックス	3	9	4	0	1	1	.444
2021	オリックス	4	10	3	0	0	0	.300
通算5年		48	165	50	0	13	6	.303

内野手　KUREBAYASHI KOTARO

24

紅林 弘太郎

2002年2月7日(20歳)／186cm・94kg／B型／
右投右打／3年目／静岡県／
駿河総合高-オリックス(ドラフト2巡目・20〜)

初出場 ▸	2020.11.3(京セラドーム大阪)対楽天22回戦	先発遊撃手
初安打 ▸	2020.11.3(京セラドーム大阪)対楽天22回戦	2回中安打(則本)
初本塁打 ▸	2021.3.28(メットライフ)対西武3回戦	7回(ギャレット)
初打点 ▸	2020.11.4(京セラドーム大阪)対楽天23回戦	2回(涌井)

大ブレイクの大型遊撃手

開幕スタメンの大抜擢から始まって、クライマックスシリーズ ファイナルステージ、日本シリーズまで、プロ２年目の19歳は長いシーズンを完走した。シーズン終盤には３番を任され、10代での２桁ホームランはチーム史上初の快挙となった。「リーグ優勝、日本シリーズ出場など良い経験になりました。ただ、力不足を実感することばかりで」と、自らが感じた課題の克服にも意欲的だ。守備面でも大型遊撃手らしい強肩を生かしたダイナミックなプレーは魅力十分。まだまだ進化の途上。ここからの伸びしろは計り知れない。今季は走力も磨き、20発、３割を目指す！

■ 公式戦個人年度別成績

年度	所属球団	試合	打数	安打	本塁打	打点	盗塁	打率
2020	オリックス	5	17	4	0	2	0	.235
2021	オリックス	136	448	102	10	48	2	.228
通算２年		141	465	106	10	50	2	.228

■ 二軍公式戦個人年度別成績

年度	所属球団	試合	打数	安打	本塁打	打点	盗塁	打率
2020	オリックス	86	309	68	1	20	1	.220
2021	オリックス	2	6	2	0	0	0	.333
通算２年		88	315	70	1	20	1	.222

いつもありがとうございます!!

Q&A
❶肩 ❷べに ❸ラーメン屋に行く ❹顔に肉がつきやすい ❺犬 ❻足がでかい ❼赤 ❽WANIMA ❾ボディクリーム ❿犬 ⓫小学２年生 ⓬にんにく ⓭アシカ ⓮こんにゃくゼリー ⓯MV ⓰金木犀 ⓱『ロマンスの神様』 ⓲楽しく野球しよう!! ⓳全試合出場

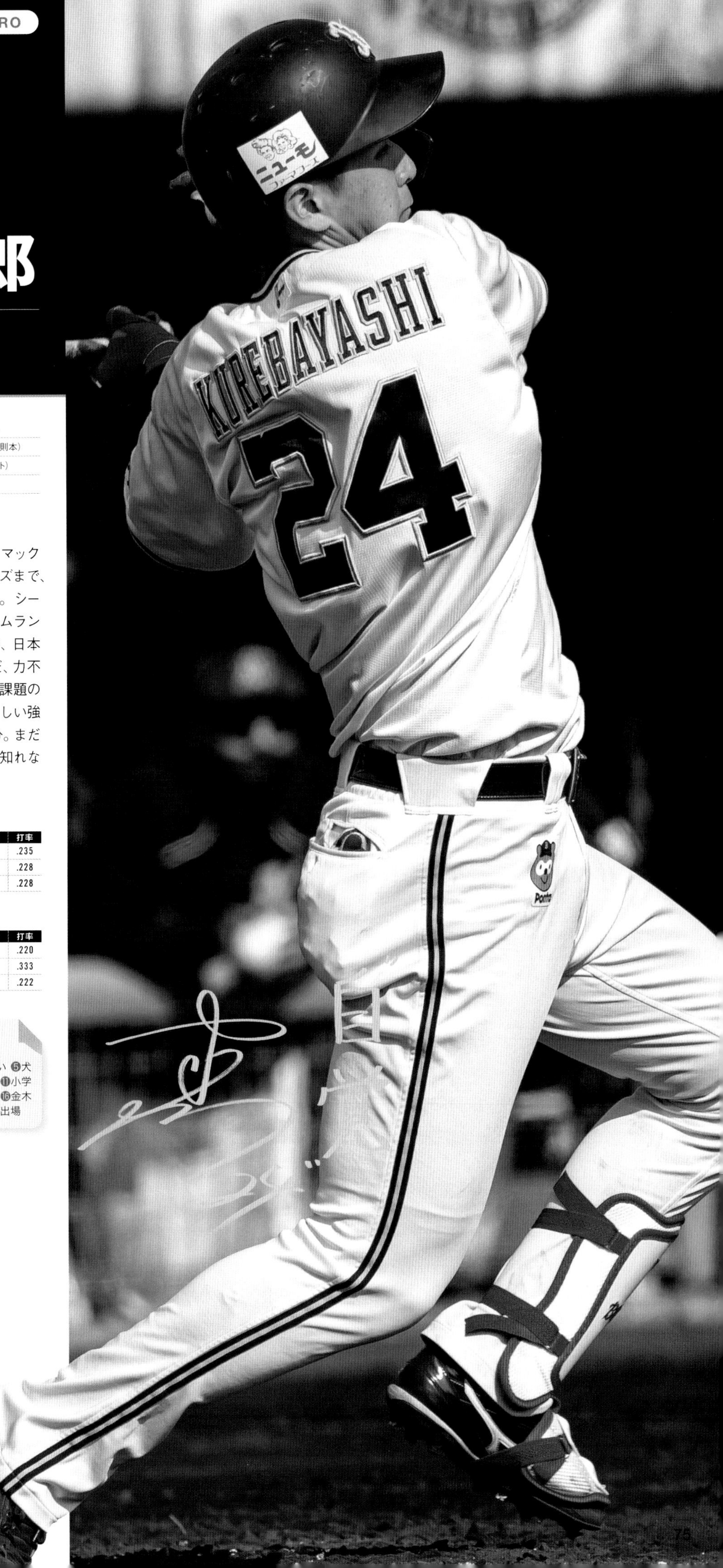

内野手 OHTA RYO

31 太田 椋

2001年2月14日(21歳) ／181cm・84kg／B型／
右投右打／4年目／大阪府／
天理高-オリックス(ドラフト1巡目・19〜)

初 出 場 ▸ 2019.9.14(京セラドーム大阪)対楽天23回戦　先発遊撃手
初 安 打 ▸ 2020.7.16(京セラドーム大阪)対ソフトバンク3回戦　3回本塁打(バンデンハーク)
初本塁打 ▸ 2020.7.16(京セラドーム大阪)対ソフトバンク3回戦　3回(バンデンハーク)
初 打 点 ▸ 2020.7.16(京セラドーム大阪)対ソフトバンク3回戦　3回(バンデンハーク)

ポジション獲りへ打撃を磨く！

期待された3年目は当初の目標だった開幕スタメンを勝ち取った。しかし、調子が上がらず、程なくファームへ。「打撃の力不足を痛感した」シーズンだった。そこで決意したのは体の強化。体を強くした上での技術向上を目指す考えだ。日本シリーズで放ったタイムリーは貴重な経験。持ち味の打撃を磨いてポジションを獲る！

いつも応援ありがとうございます

Q&A ❶フルスイング ❷りょう ❸いっぱい寝る ❹紅林が隣の部屋になった ❺長風呂 ❻数学が得意 ❼金色 ❽ベリーグッドマン ❾保湿クリーム ❿花火 ⓫小学3年生 ⓬おいしい焼肉 ⓭タヌキ ⓮牛乳 ⓯野球 ⓰甘い香り ⓲たくさんご飯を食べよう ⓳キャリアハイ

■ 公式戦個人年度別成績

年度	所属球団	試合	打数	安打	本塁打	打点	盗塁	打率
2019	オリックス	6	13	0	0	0	0	.000
2020	オリックス	20	54	14	3	5	0	.259
2021	オリックス	53	151	26	3	9	1	.172
通算3年		79	218	40	6	14	1	.183

■ 二軍公式戦個人年度別成績

年度	所属球団	試合	打数	安打	本塁打	打点	盗塁	打率
2019	オリックス	64	233	60	6	21	4	.258
2020	オリックス	40	144	35	3	14	0	.243
2021	オリックス	52	174	33	3	9	1	.190
通算3年		156	551	128	12	44	5	.232

内野手 YAMAASHI TATSUYA

36 山足 達也

1993年10月26日(29歳) ／174cm・76kg／AB型／
右投右打／5年目／大阪府／
大阪桐蔭高-立命館大-Honda鈴鹿-オリックス(ドラフト8巡目・18〜)

初 出 場 ▸ 2018.3.30(ヤフオクドーム)対ソフトバンク1回戦　先発二塁手
初 安 打 ▸ 2018.3.30(ヤフオクドーム)対ソフトバンク1回戦　1回中安打(千賀)
初本塁打 ▸ 2018.9.7(ヤフオクドーム)対ソフトバンク19回戦　3回(千賀)
初 打 点 ▸ 2018.5.8(京セラドーム大阪)対日本ハム6回戦　2回(マルティネス)

渋さが光るバイプレーヤー

打撃、守備の両面におけるオールラウンダー。ここ一番でのバントや走塁など、失敗が許されない中での確実な仕事ぶりは首脳陣からの評価も高い。「あらゆる場面に対応するための準備は怠らない」とは、まさに職人の言葉。ただ、「野球選手である以上、目指すところはあくまでもレギュラー」とも。脇役では終わらない！

応援お願いします

Q&A ❶全力プレー ❷たつ ❸買い物 ❹食べすぎる ❺Netflix ❼青 ❽ONE OK ROCK ❿景色 ⓫小学1年生 ⓬外食 ⓭タヌキ ⓮マヨネーズ ⓯かまいたちのやつ ⓰フレグランス ⓲全力で楽しむこと ⓳日本一

■ 公式戦個人年度別成績

年度	所属球団	試合	打数	安打	本塁打	打点	盗塁	打率
2018	オリックス	25	60	10	1	7	2	.167
2019	オリックス	28	61	10	1	8	0	.164
2020	オリックス	63	96	21	1	5	3	.219
2021	オリックス	53	33	9	0	1	0	.273
通算4年		169	250	50	3	21	5	.200

■ 二軍公式戦個人年度別成績

年度	所属球団	試合	打数	安打	本塁打	打点	盗塁	打率
2018	オリックス	43	156	47	3	13	7	.301
2019	オリックス	58	179	42	3	24	5	.235
2020	オリックス	3	5	0	0	0	0	.000
2021	オリックス	33	85	21	0	6	2	.247
通算4年		137	425	110	6	43	14	.259

内野手　OHSHITA SEIICHIRO

40
大下 誠一郎

1997年11月3日(25歳)　171cm・89kg　AB型
右投右打　3年目　福岡県
白鷗大足利高-白鷗大-オリックス(ドラフト育成6巡目・20〜)

初出場 ▸ 2020.9.15(ほっと神戸)対楽天13回戦　先発三塁手
初安打 ▸ 2020.9.15(ほっと神戸)対楽天13回戦　2回本塁打(辛島)
初本塁打 ▸ 2020.9.15(ほっと神戸)対楽天13回戦　2回(辛島)
初打点 ▸ 2020.9.15(ほっと神戸)対楽天13回戦　2回(辛島)

Voice of ORIX

昨季は自主トレで脇腹を痛め、出遅れた。ただ、急遽、ファームから招集された9月のロッテ戦で見せた活躍はインパクト大。“神戸で強い大下”を印象付けた。持ち味は思い切りの良いバッティング。打撃強化に向けてオフにはバットを振り込んだ。一軍定着を叶え、これまで以上にスタジアム内を声で席巻する！

オリのファンは心から自分の力になっています。
これからもよろしく

Q&A ❶フルスイング、声 ❷誠一郎 ❻声がでかい ❼金色 ❽嶋大輔 ❾ボディークリーム ❿吉田正尚とのツーショット ⓫小学1年生 ⓬オフ前のお酒 ⓭ライオン ⓯野球のYouTube ⓱基本何でも歌う ⓲練習あるのみ ⓳キャリアハイ、レギュラー

■公式戦個人年度別成績

年度	所属球団	試合	打数	安打	本塁打	打点	盗塁	打率
2020	オリックス	32	88	19	2	9	0	.216
2021	オリックス	15	25	4	1	2	0	.160
通算2年		47	113	23	3	11	0	.204

■二軍公式戦個人年度別成績

年度	所属球団	試合	打数	安打	本塁打	打点	盗塁	打率
2020	オリックス	58	178	39	2	21	1	.219
2021	オリックス	72	193	47	2	15	1	.244
通算2年		130	371	86	4	36	2	.232

内野手　RANGEL RAVELO

42
ランヘル・ラベロ

1992年4月24日(30歳)　185cm・106kg　右投右打　2年目
キューバ　ハイアリア高-ホワイトソックス(11〜14)-アスレチックス(15〜16)-カージナルス(17〜20)-ドジャース(21)-オリックス(21途〜)

初出場 ▸ 2021.10.21(京セラドーム大阪)対西武25回戦　先発DH
初安打 ▸ 2021.10.21(京セラドーム大阪)対西武25回戦　2回左安(今井)

今季に賭ける助っ人ヒットマン

シーズン終盤の勝負所での切り札として期待されたが、一軍昇格直前の二軍戦で、手首に死球を受け離脱。レギュラーシーズンにはギリギリ間に合うも、調整不足は明らかで、本来のパフォーマンスは示せないまま。コンタクト率が高いアベレージヒッターの本領発揮なるか！ 勝負の2年目。とにかく、結果にこだわりたい。

応援よろしくお願いします

Q&A ❶打撃 ❷ノリー ❸おいしいレストランで食事をする ❺精神統一 ❻プラス思考 ❼青 ❽Tercer Cielo, Creere ⓫6歳 ⓬家時間 ⓭ライオン ⓮牛肉 ⓯指導動画 ⓲夢を信じれば叶うよ ⓳最高のシーズンを過ごして、日本シリーズで勝つこと

■公式戦個人年度別成績

年度	所属球団	試合	打数	安打	本塁打	打点	盗塁	打率
2021	オリックス	2	7	3	0	0	0	.429
通算1年		2	7	3	0	0	0	.429

■二軍公式戦個人年度別成績

年度	所属球団	試合	打数	安打	本塁打	打点	盗塁	打率
2021	オリックス	3	6	0	0	0	0	.000
通算1年		3	6	0	0	0	0	.000

内野手 GIBO SHO

53 宜保 翔

2000年11月26日(22歳)／176cm・75kg／O型／
右投左打／4年目／沖縄県／
KBC学園未来高沖縄-オリックス(ドラフト5巡目・19～)

初出場 ▶ 2019.9.6(札幌ドーム)対日本ハム20回戦 先発遊撃手
初安打 ▶ 2019.9.23(京セラドーム大阪)対ソフトバンク23回戦 3回左中二(高橋礼)
初打点 ▶ 2020.9.20(京セラドーム大阪)対西武18回戦 3回(松本)

持ち味のスピードで勝負する

プロ3年目は33試合に出場。数字的には自己最多の試合数だが、飛躍を誓って臨んだシーズンだっただけに、不完全燃焼の感は否めない。激しい二遊間の競争に勝つために前面に押し出したいのが、彼が有するスピード。走塁技術を高めて、巧打と合わせてアピールしたい。勝負に出る4年目。目標は一軍で100試合出場だ。

ファンの期待に応えられるように頑張ります

Q&A ❶腕 ❷しょー ❸ドライブ ❹肩こり ❺シベリアンハスキー ❻ヘディング ❼緑 ❽長渕剛 ❾抱き枕 ❿夜景 ⓫小学2年生 ⓬スニーカーを買う ⓭マングース ⓮プロテイン ⓯犬の動画 ⓰海 ⓱『おじい自慢のオリオンビール』 ⓲早寝、早起き、朝練 ⓳ヒットをいっぱい打つ

■ 公式戦個人年度別成績

年度	所属球団	試合	打数	安打	本塁打	打点	盗塁	打率
2019	オリックス	8	26	6	0	0	0	.231
2020	オリックス	10	17	2	0	2	0	.118
2021	オリックス	33	25	4	0	1	0	.160
通算3年		51	68	12	0	3	0	.176

■ 二軍公式戦個人年度別成績

年度	所属球団	試合	打数	安打	本塁打	打点	盗塁	打率
2019	オリックス	111	375	85	0	20	13	.227
2020	オリックス	41	78	17	0	7	2	.218
2021	オリックス	63	209	47	0	14	2	.225
通算3年		215	662	149	0	41	17	.225

内野手 NAKAGAWA KEITA

67 中川 圭太

1996年4月12日(26歳)／180cm・76kg／B型／
右投右打／4年目／大阪府／
PL学園高-東洋大-オリックス(ドラフト7巡目・19～)

初出場 ▶ 2019.4.20(楽天生命パーク)対楽天5回戦 9回代打
初安打 ▶ 2019.4.24(ヤフオクドーム)対ソフトバンク5回戦 3回右安打(武田)
初本塁打 ▶ 2019.5.10(ほっと神戸)対楽天7回戦 5回(美馬)
初打点 ▶ 2019.4.24(ヤフオクドーム)対ソフトバンク5回戦 9回(森)

無敵の圭太、ふたたび！

ケガや好不調の波の影響で、「モノ足りないシーズンだった」と本人。途中から試合に入っていく難しさも実感し、コンディションの維持の重要性も再認識したという。オフは、体幹や下半身の強化に努めてきた。内・外野複数のポジションを守れるユーティリティープレーヤー。レギュラー獲りへ、無敵の圭太が復活を誓う。

感謝

Q&A ❶全力プレー ❷圭太 ❸部屋の掃除 ❺愛犬 ❽BTS ❾化粧水 ❿愛犬 ⓫小学1年生 ⓮プリン ⓯BTSの動画 ⓰JO MALONE ⓲楽しむこと ⓳レギュラーを獲る！

■ 公式戦個人年度別成績

年度	所属球団	試合	打数	安打	本塁打	打点	盗塁	打率
2019	オリックス	111	364	105	3	32	9	.288
2020	オリックス	45	144	21	2	13	3	.146
2021	オリックス	61	156	33	1	7	1	.212
通算3年		217	664	159	6	52	13	.239

■ 二軍公式戦個人年度別成績

年度	所属球団	試合	打数	安打	本塁打	打点	盗塁	打率
2019	オリックス	22	82	24	2	17	8	.293
2020	オリックス	39	135	45	5	33	3	.333
2021	オリックス	17	58	17	0	4	2	.293
通算3年		78	275	86	7	54	13	.313

内野手 HIROSAWA SHINYA

120
廣澤 伸哉

1999年8月11日(23歳) / 175cm・74kg / B型 / 右投右打 / 5年目 / 大分県 / 大分商高-オリックス(ドラフト7巡目・18〜)

初出場 ▸ 2020.6.19(京セラドーム大阪)対楽天1回戦　9回遊撃手

初安打 ▸ 2020.6.25(ZOZOマリン)対ロッテ3回戦　5回遊安打(岩下)

支配下復帰に向けてリスタート

育成契約での再スタートとなるが、その悔しさを今季のプレーの糧にしたい。後輩の活躍に刺激を受けないはずはない。「もう一度!」の思いは並ではない。支配下復帰に向けての課題はバッティング。打率を上げるため、「逆方向にも強い打球を」と、広角に打ち分ける打撃技術の習得に挑戦中だ。このままでは終われない!

頑張ります

Q&A ❶守備 ❷しんや ❸昼ぐらいまで寝る ❹夜寝られない ❺お風呂 ❻二重にできる ❼青系 ❽UVERworld ❾香水 ❿風景 ⓫小学2年生 ⓬デザート ⓭犬 ⓮飲み物 ⓯韓国ドラマ ⓰せっけん系 ⓲楽しんで! ⓳支配下

■ 公式戦個人年度別成績

年度	所属球団	試合	打数	安打	本塁打	打点	盗塁	打率
2020	オリックス	23	19	3	0	0	0	.158
通算1年		23	19	3	0	0	0	.158

■ 二軍公式戦個人年度別成績

年度	所属球団	試合	打数	安打	本塁打	打点	盗塁	打率
2018	オリックス	60	141	25	0	10	0	.177
2019	オリックス	90	153	24	0	6	5	.157
2020	オリックス	52	115	26	1	9	9	.226
2021	オリックス	81	154	26	0	15	7	.169
通算4年		283	563	101	1	40	21	.179

外野手　FUKUDA SHUHEI

1

福田 周平

1992年8月8日（30歳）／167㎝・69kg／A型／
右投左打／5年目／大阪府／
広陵高-明治大-NTT東日本-オリックス（ドラフト3巡目・18～）

初出場 ▸ 2018.4.8（メットライフ）対西武3回戦　先発遊撃手
初安打 ▸ 2018.4.24（札幌ドーム）対日本ハム3回戦　9回遊安打（トンキン）
初本塁打 ▸ 2018.9.25（京セラドーム大阪）対ソフトバンク23回戦　8回（モイネロ）
初打点 ▸ 2018.5.2（京セラドーム大阪）対西武5回戦　4回（カスティーヨ）

“1”番のリードオフマンに！

５月半ば以降の一番打者定着とチームの快進撃が見事にリンク。すなわち、不動のリードオフマンとして、チームの快進撃に大きく貢献したということだ。ファームでの調整が続いた４月はモチベーションを保つのに苦労したというが、そこでの入念な準備が一軍再昇格以降の活躍につながったのは間違いない。 初挑戦となったセンターの守備に関しても、「難しいですが、やり甲斐もあって楽しかった」と、出番を増やすために志願した外野守備も涼しい顔してやってのけた。「とにかく塁に出ること」を第一目標に、新しい背番号と同じ打順は誰にも譲らない。

■公式戦個人年度別成績

年度	所属球団	試合	打数	安打	本塁打	打点	盗塁	打率
2018	オリックス	113	295	78	1	15	16	.264
2019	オリックス	135	492	123	2	38	30	.250
2020	オリックス	76	260	67	0	24	13	.258
2021	オリックス	107	408	112	1	21	9	.275
通算４年		431	1455	380	4	98	68	.261

■二軍公式戦個人年度別成績

年度	所属球団	試合	打数	安打	本塁打	打点	盗塁	打率
2018	オリックス	15	54	12	0	1	1	.222
2019	オリックス	5	18	4	0	1	1	.222
2020	オリックス	4	11	4	1	3	1	.364
2021	オリックス	18	56	13	0	3	3	.232
通算４年		42	139	33	1	8	6	.237

頑張ります！

Q&A
❶気迫 ❷福田 ❸やりたいことをする ❹鼻がむずむずする ❺家族 ❼全部 ❾ヘアオイル ❿子どもの写真 ⓫小学１年生 ⓭猿 ⓮水 ⓰森の香り ⓲楽しもう！ ⓳日本一

外野手 YOSHIDA MASATAKA

7

吉田 正尚

1993年7月15日(29歳) ／173cm・85kg ／B型／
右投左打 ／7年目 ／福井県
敦賀気比高-青山学院大-オリックス(ドラフト1巡目・16～)

初出場 ▶ 2016.3.25(西武プリンス)対西武1回戦　先発指名打者
初安打 ▶ 2016.3.25(西武プリンス)対西武1回戦　7回左安打(郭)
初本塁打 ▶ 2016.8.18(札幌ドーム)対日本ハム18回戦　3回(増井)
初打点 ▶ 2016.3.29(札幌ドーム)対日本ハム1回戦　6回(吉川)

[タイトル] ★首位打者(20、21)　★最高出塁率(21)
[表　彰] ★ベストナイン<外>(18、19、20、21)

新背番号で今季もタイトルを狙う

ゴールドメダリストにして首位打者、選手会長としてリーグ優勝と、一見バラ色に映るシーズンも、本人からすれば、「目標としていた全試合出場が途切れてしまって、納得できない部分も」と、故障による途中離脱を悔やむ。優勝争いが激化するシーズン最終盤での欠場はチームにとっても大きな痛手だったが、右手首骨折の大ケガからの奇跡的な回復力でポストシーズンには復帰。主砲の存在感の大きさを改めて示してみせた。球界を代表する誰もが認める強打者。タイトル奪取とチームの連覇に向け、背番号「7」が今季も打線をけん引していく。

公式戦個人年度別成績

年度	所属球団	試合	打数	安打	本塁打	打点	盗塁	打率
2016	オリックス	63	231	67	10	34	0	.290
2017	オリックス	64	228	71	12	38	1	.311
2018	オリックス	143	514	165	26	86	3	.321
2019	オリックス	143	521	168	29	85	5	.322
2020	オリックス	120	408	143	14	64	8	.350
2021	オリックス	110	389	132	21	72	0	.339
通算６年		643	2291	746	112	379	17	.326

二軍公式戦個人年度別成績

年度	所属球団	試合	打数	安打	本塁打	打点	盗塁	打率
2016	オリックス	10	33	11	1	4	0	.333
2017	オリックス	5	14	3	1	2	0	.214
2021	オリックス	2	4	0	0	0	0	.000
通算３年		17	51	14	2	6	0	.275

ともに戦いましょう!!

Q&A
❶肌ツヤ ❷任せます ❸家族 ❹閉所 ❺娘、ペット ❻時計 ❼チームカラー ❽Avicii ❿紅葉⓫年長 ⓬時計、車 ⓭ナマケモノ ⓮キムチ、にんにく ⓯ドキュメンタリー、ヒューマン系 ⓰柑橘系 ⓱菅田将暉 ⓲向上心 ⓳頂

外野手 GOTOH SHUNTA

8 後藤 駿太

1993年3月5日(29歳)／180cm・83kg／A型／
右投左打／12年目／群馬県／
前橋商高-オリックス(ドラフト1巡目・11〜)

初 出 場 ▸ 2011.4.12(京セラドーム大阪)対ソフトバンク1回戦 先発右翼手
初 安 打 ▸ 2011.4.20(ほっと神戸)対日本ハム2回戦 3回右安打(ウルフ)
初本塁打 ▸ 2013.6.30(京セラドーム大阪)対楽天10回戦 1回(ダックワース)
初 打 点 ▸ 2011.4.20(ほっと神戸)対日本ハム2回戦 9回(林)

FA権獲得もオリックスで勝負

国内FA権を獲得し、オフには彼の動向が注目されたが、権利を行使しないまま残留を決意した。そこには、このチームへの深い愛着があるからに他ならない。卓越した身体能力を生かしての、守備、走塁は球界トップレベルにあることは疑いようもない事実。 まだ29歳。チーム愛を貫いた生え抜きが、定位置獲りに意欲を燃やす！

サンキュー

Q&A ①あーい!! ②しゅんちぇる ③子どもと遊ぶ ④寝れない ⑤子どもたち ⑦黄色 ⑧清水翔太 ⑨ヘアオイル、ボディオイル ⑩家族写真 ⑪小学1年生 ⑫深夜のサウナ ⑬ペガサス ⑮Netflix ⑯バニラ系 ⑰『おもちゃのちゃちゃちゃ』 ⑱楽しめーーー ⑲輝

■ 公式戦個人年度別成績

年度	所属球団	試合	打数	安打	本塁打	打点	盗塁	打率
2011	オリックス	30	40	4	0	1	0	.100
2012	オリックス	32	29	4	0	0	0	.138
2013	オリックス	117	201	40	3	12	4	.199
2014	オリックス	127	246	69	5	30	5	.280
2015	オリックス	135	334	78	2	31	8	.234
2016	オリックス	105	214	41	1	9	3	.192
2017	オリックス	129	296	71	2	27	4	.240
2018	オリックス	33	37	8	0	4	2	.216
2019	オリックス	91	165	37	1	22	4	.224
2020	オリックス	23	50	6	0	1	2	.120
2021	オリックス	56	16	2	1	1	2	.125
通算11年		878	1628	360	15	138	34	.221

■ 二軍公式戦個人年度別成績

年度	所属球団	試合	打数	安打	本塁打	打点	盗塁	打率
2011	オリックス	57	213	47	1	13	2	.221
2012	オリックス	44	157	43	0	17	4	.274
2013	オリックス	13	44	13	0	1	0	.295
2014	オリックス	9	34	12	1	2	1	.353
2015	オリックス	4	16	4	0	0	2	.250
2016	オリックス	20	71	18	0	3	5	.254
2017	オリックス	6	20	3	0	2	1	.150
2018	オリックス	64	172	28	0	11	1	.163
2019	オリックス	19	51	9	0	7	1	.176
2020	オリックス	63	153	37	5	17	5	.242
2021	オリックス	37	98	27	2	10	2	.276
通算11年		336	1029	241	9	83	24	.234

外野手 NISHIMURA RYO

25 西村 凌

1996年2月21日(26歳)／178cm・84kg／O型／
右投右打／5年目／滋賀県／
青森山田高-SUBARU-オリックス(ドラフト5巡目・18〜)

初 出 場 ▸ 2018.5.29(ナゴヤドーム)対中日1回戦 4回中堅手
初 安 打 ▸ 2018.5.29(ナゴヤドーム)対中日1回戦 6回中安打(福谷)
初本塁打 ▸ 2018.6.8(神宮)対ヤクルト1回戦 3回(ハフ)
初 打 点 ▸ 2018.5.29(ナゴヤドーム)対中日1回戦 6回(福谷)

チーム最強握力が生む長打に期待

オフには両足首三角骨除去のための内視鏡手術を受けたが、それも今季にかける意気込みの表れ。ホームランなしはプロ入り後初。それでも、主砲・正尚不在の際は攻守に活躍、貴重な戦力として貢献した。「結果を気にし過ぎることなく、自分のやり方を貫き通す！」と前を見据える。持ち前のパンチ力は健在。一軍定着を目指す。

いつも本当にありがとうございます

Q&A ❶全力プレー ❷ムー ❸寝る ❹鼻づまり ❺ブースケ(犬) ❻雨男 ❼青 ❽玉置浩二 ❾花 ❿空 ⓫小学5年生 ⓬パンケーキ ⓭鳥 ⓮コーラ ⓯すべらない話 ⓰冬の香り ⓲頑張ってネ！ ⓳全力でやり切る

■ 公式戦個人年度別成績

年度	所属球団	試合	打数	安打	本塁打	打点	盗塁	打率
2018	オリックス	31	88	17	2	8	2	.193
2019	オリックス	19	49	13	2	4	2	.265
2020	オリックス	29	62	10	1	3	2	.161
2021	オリックス	13	42	9	0	2	0	.214
通算4年		92	241	49	5	17	6	.203

■ 二軍公式戦個人年度別成績

年度	所属球団	試合	打数	安打	本塁打	打点	盗塁	打率
2018	オリックス	65	224	69	4	25	4	.308
2019	オリックス	76	217	51	3	17	3	.235
2020	オリックス	36	112	33	2	13	1	.295
2021	オリックス	59	147	38	1	19	6	.259
通算4年		236	700	191	10	74	14	.273

外野手 GEN KENDAI

27
元 謙太

2002年5月17日(20歳)／186cm・88kg／O型／右投右打／2年目／岐阜県／中京高-オリックス(ドラフト2巡目・21〜)

外野挑戦のスター候補生

ルーキーイヤーはウエスタン・リーグで全試合に出場し、プロとしての経験値を高めてきた。同期同学年の一軍での活躍に刺激を受けないはずはない。オフにはウエイトアップと打力向上に努めてきた。昨秋から挑戦の外野守備も、可能性、選択肢の広がりにつながると前向きに捉えている。２年目の大器、進化に期待したい。

自分のことを忘れないで!!

Q&A
❶元気 ❷げんちゃん ❸部屋にこもらず外に出る ❹乾燥 ❺音楽 ❻足の指が長い ❼蛍光色 ❽川崎鷹也 ❾スキンケア ❿高知城 ⓫小学3年生 ⓭ライオン ⓮飲み物 ⓯鈴木誠也さんのバッティング動画 ⓰ランバンの香水 ⓱川崎鷹也さんの曲 ⓲ファイト ⓳一軍出場

■二軍公式戦個人年度別成績

年度	所属球団	試合	打数	安打	本塁打	打点	盗塁	打率
2021	オリックス	111	334	46	4	30	2	.138
通算１年		111	334	46	4	30	2	.138

外野手　KITA RYOTO

38
来田 涼斗

2002年10月16日（20歳）／180cm・90cm／A型／
右投左打／2年目／兵庫県／
明石商高-オリックス（ドラフト3巡目・21～）

初出場 ▸ 2021.7.13（ウインドヒルひがし）対日本ハム12回戦　先発左翼手
初安打 ▸ 2021.7.13（ウインドヒルひがし）対日本ハム12回戦　1回本塁打（池田）
初本塁打 ▸ 2021.7.13（ウインドヒルひがし）対日本ハム12回戦　1回（池田）
初打点 ▸ 2021.7.13（ウインドヒルひがし）対日本ハム12回戦　1回（池田）

プロスペクトが目指す2年目の飛躍

プロデビュー戦での初打席初球ホームランは、あまりにもインパクトが大きかった。ただ、「課題は多い」と本人。打撃では確実性を高めること、守備、走塁面での技術向上が当面の目標だという。オフには自らが憧れてやまない先輩・吉田正尚との自主トレで多くを学んだ。次期スター候補の筆頭。まずは開幕スタメンの座を狙う。

ファンの方々の応援が力となっています。
今後もよろしくお願いします

Q&A
❶バッティング ❷リョウト ❸散歩、買い物 ❹体重がすぐ増える ❺テレビ見ながらボーッとする ❻体重管理 ❼紺色、グレー ❽清水翔太 ❾脱毛器 ❿高知城（ライトアップ） ⓫小学1年生 ⓬ごはんをたくさん食べる ⓭イノシシ ⓮マヨネーズ ⓯ガードマン ⓰甘酸っぱい落ち着く匂い ⓱清水翔太 ⓲リラックス ⓳進化

■ 公式戦個人年度別成績

年度	所属球団	試合	打数	安打	本塁打	打点	盗塁	打率
2021	オリックス	23	71	15	2	8	1	.211
通算1年		23	71	15	2	8	1	.211

■ 二軍公式戦個人年度別成績

年度	所属球団	試合	打数	安打	本塁打	打点	盗塁	打率
2021	オリックス	89	321	82	2	26	5	.255
通算1年		89	321	82	2	26	5	.255

外野手　SANO KODAI

41
佐野 皓大

1996年9月2日（26歳）／182cm・73kg／A型／
右投両打／8年目／大分県／
大分高-オリックス（ドラフト3巡目・15～）

初出場 ▸ 2018.10.5（京セラドーム大阪）対ソフトバンク25回戦　8回代走
初安打 ▸ 2019.4.2（京セラドーム大阪）対ソフトバンク1回戦　9回右安打（川原）
初本塁打 ▸ 2019.7.6（ほっと神戸）対ソフトバンク14回戦　5回（大竹）
初打点 ▸ 2019.4.27（京セラドーム大阪）対西武4回戦　6回（野田）

一軍定着狙うスピードスター

開幕スタメンに抜擢されるも、定位置獲りには至らず、悔しい思いも。ただ、その絶対的スピードは相手にとっては大きな脅威。勝負を賭けた代走起用での存在感はピカイチだ。自身の強みをさらにブラッシュアップさせるため、瞬発力の強化にも取り組んだ。誰にも真似のできないその速さで、狙うはレギュラー奪取と盗塁王だ。

いつも応援ありがとうございます。
今年も熱い応援よろしくお願いします

Q&A
❶盗塁 ❷なんでも ❸好きなだけ寝る ❹目が疲れる ❺娘 ❼オレンジ、水色 ❽遊助 ❿ペット ⓫小学4年生 ⓬夜中にウーバーイーツ ⓭キツネ ⓮飲み物 ⓯はまゆう ⓰落ち着く香り ⓲楽しむ ⓳すべてにおいていいシーズンにする

■ 公式戦個人年度別成績

年度	所属球団	試合	打数	安打	本塁打	打点	盗塁	打率
2018	オリックス	1	0	0	0	0	0	.000
2019	オリックス	68	121	25	1	9	12	.207
2020	オリックス	77	140	30	0	3	20	.214
2021	オリックス	67	82	12	1	2	8	.146
通算4年		213	343	67	2	14	40	.195

■ 二軍公式戦個人年度別成績

年度	所属球団	試合	打数	安打	本塁打	打点	盗塁	打率
2015	オリックス	17	0	0	0	0	0	.000
2016	オリックス	20	0	0	0	0	0	.000
2017	オリックス	6	0	0	0	0	0	.000
2018	オリックス	72	175	32	1	4	6	.183
2019	オリックス	21	84	24	1	8	9	.286
2020	オリックス	12	50	11	1	4	2	.220
2021	オリックス	43	150	37	0	9	14	.247
通算7年		191	459	104	3	25	31	.227

外野手 ODA YUYA

50

小田 裕也

1989年11月4日(33歳)／172㎝・75kg／O型／
右投左打／8年目／熊本県／
九州学院高-東洋大-日本生命-オリックス(ドラフト8巡目・15～)

初出場	▸ 2015.8.5(QVCマリン)対ロッテ15回戦	先発右翼手
初安打	▸ 2015.8.5(QVCマリン)対ロッテ15回戦	3回右安打(イ・デウン)
初本塁打	▸ 2015.8.12(ヤフオクドーム)対ソフトバンク18回戦	3回(中田)
初打点	▸ 2015.8.12(ヤフオクドーム)対ソフトバンク18回戦	3回(中田)

渋さが光るイケメン仕事人

日本シリーズ進出を決める“奇跡のバスター”で、一気に主役の座に躍り出た。誰もが「バント」と信じて疑わなかったシーンで中嶋監督が選択した策は“バスター”。「むしろ、気が楽になった」と、鮮やかなサヨナラ劇を呼び込んだ。101試合という出場数は自己最多も、打席数は最少の18に止まった。代走や守備固めのシーンでは、きっちりと仕事をこなしていたが、やはり目指すはスタメンでの出場だ。打撃の向上とメンタル強化で、競争激しい外野の一角を狙っていく。華やかさと渋みが同居するイケメン“おだゆう”が勝負に出る！

■ 公式戦個人年度別成績

年度	所属球団	試合	打数	安打	本塁打	打点	盗塁	打率
2015	オリックス	31	89	29	2	6	6	.326
2016	オリックス	78	51	7	0	3	4	.137
2017	オリックス	43	17	1	0	0	0	.059
2018	オリックス	90	143	41	2	15	10	.287
2019	オリックス	82	180	37	3	21	9	.206
2020	オリックス	87	88	21	1	7	4	.239
2021	オリックス	101	15	1	0	0	5	.067
通算7年		512	583	137	8	52	38	.235

■ 二軍公式戦個人年度別成績

年度	所属球団	試合	打数	安打	本塁打	打点	盗塁	打率
2015	オリックス	66	138	33	1	15	4	.239
2016	オリックス	13	40	9	0	2	1	.225
2017	オリックス	56	170	38	0	19	4	.224
2018	オリックス	9	22	5	0	1	1	.227
2019	オリックス	8	22	2	0	1	0	.091
2021	オリックス	3	10	1	1	1	0	.100
通算6年		155	402	88	2	39	10	.219

応援ありがとうございます。
力になっています

Q&A
①走攻守 ②ゆうや ③ゆっくり起きる ④寝つきが悪い ⑤お風呂 ⑦ラッキーカラーは黄色、テーマカラーは赤 ⑧WANIMA、BTS ⑨パック ⑩家族写真 ⑪小学3年生 ⑫食後のコーヒーとデザート ⑬ネコ ⑭R-1 ⑮アニメ ⑯香水(ライオンハート) ⑰『桜坂』 ⑱楽しんで！ ⑲チームの勝利に貢献

外野手 T-OKADA

55

T-岡田

1988年2月9日(34歳)／187cm・100kg／B型／
左投左打／17年目／大阪府／
履正社高-オリックス(高ドラフト1巡目・06～)

初出場 ▸ 2006.8.10(京セラドーム大阪)対西武15回戦 6回右翼手
初安打 ▸ 2006.8.18(スカイマーク)対楽天14回戦 6回左安打(山村)
初本塁打 ▸ 2009.8.14(スカイマーク)対ソフトバンク15回戦 5回(ジャマーノ)
初打点 ▸ 2009.5.20(京セラドーム大阪)対広島2回戦 8回(林)

[タイトル] ★本塁打王(10)
[表　彰] ★ベストナイン＜外＞(10) ★ゴールデングラブ賞＜一＞(14)

勝負強さが光った浪速の轟砲

交流戦でのサヨナラ打や、首位攻防の千葉で放った起死回生の逆転弾など、昨季は数字以上の勝負強さが光る活躍を見せた。若いチームの中にあっては、ベテランの域に入るが、まだまだ目指すところは上にある。「昨年はチームの勢いに乗せてもらった。打撃に関してもレベルアップが必要だし、1年間戦えるケガをしない体づくりを」と、現状に満足はせずパワフルな打撃を磨いている。一軍では何番を任されようと、不思議とチャンスで打順が巡ってくる。そう、「Tが打てばチームは勝つ」ということ。「このチームで日本一に」と、今季も伸び盛りのチームを引っ張っていく！

■ 公式戦個人年度別成績

年度	所属球団	試合	打数	安打	本塁打	打点	盗塁	打率
2006	オリックス	3	6	1	0	0	0	.167
2009	オリックス	43	139	22	7	13	0	.158
2010	オリックス	129	461	131	33	96	0	.284
2011	オリックス	134	492	128	16	85	4	.260
2012	オリックス	103	378	106	10	56	4	.280
2013	オリックス	58	189	42	4	18	2	.222
2014	オリックス	130	472	127	24	75	4	.269
2015	オリックス	105	389	109	11	51	2	.280
2016	オリックス	123	454	129	20	76	5	.284
2017	オリックス	143	504	134	31	68	2	.266
2018	オリックス	97	298	67	13	43	2	.225
2019	オリックス	20	50	6	1	2	0	.120
2020	オリックス	100	328	84	16	55	5	.256
2021	オリックス	115	357	86	17	63	2	.241
通算14年		1303	4517	1172	203	701	32	.259

■ 二軍公式戦個人年度別成績

年度	所属球団	試合	打数	安打	本塁打	打点	盗塁	打率
2006	サーパス	82	298	73	5	27	6	.245
2007	サーパス	68	236	58	4	25	2	.246
2008	サーパス	83	264	57	5	28	2	.216
2009	オリックス	65	258	76	21	59	2	.295
2011	オリックス	5	20	6	1	1	0	.300
2012	オリックス	5	17	3	1	2	0	.176
2013	オリックス	32	125	43	4	24	1	.344
2014	オリックス	8	29	7	1	4	0	.241
2015	オリックス	12	41	10	0	3	0	.244
2016	オリックス	8	29	6	2	5	0	.207
2018	オリックス	9	30	5	1	1	0	.167
2019	オリックス	34	99	21	3	13	1	.212
2021	オリックス	3	8	1	1	1	0	.125
通算13年		414	1454	366	49	193	14	.252

いつもありがとうございます！
今シーズンもともに頑張りましょう！

Q&A ①すべて ②T ③家族で過ごす ④息子が家でストレッチさせてくれない ⑤息子 ⑦白 ⑧ケツメイシ ⑨化粧品など ⑩息子 ⑪小学3年生 ⑬カバ ⑭ドレッシング ⑮キャンプ動画 ⑯DiorのSAUVAGE ⑱楽しもう！ ⑲キャリアハイ、日本一

外野手　SANO YUKIKAZU

60
佐野 如一

1998年9月2日(24歳)／174cm・80kg／B型／
右投左打／2年目／茨城県／
霞ヶ浦高-仙台大-オリックス(育成ドラフト5巡目・21〜)

初出場▶2021.3.27(メットライフ)対西武2回戦　9回左翼手

パワフルな打撃で一軍定着を

ルーキーイヤーは開幕直前に支配下契約を勝ち取り、開幕を一軍で迎えたが、ファーム降格後は一軍への復帰は叶わず。「もっと打撃の確率を上げたい」と、本人が言うように、課題は明白。オフには走塁面の技術アップにも取り組んだ。チーム内にお手本となる先輩は多い。そこから学んだことを力に変えて、今季は一軍定着だ。

**皆さんの応援に応えられるよう
頑張ります。
これからも応援よろしくお願いします**

Q&A ①全力プレー ②さにょ、にょ ③掃除、ゴミ捨て ⑤音楽 ⑦黄色、黒 ⑧平井大 ⑨ヘアオイル ⑩高知城 ⑪小学1年生 ⑫お風呂上がりの炭酸 ⑬猿 ⑭お茶 ⑮ドラマ ⑱全力で楽しく頑張れ!! ⑲1年間一軍

■公式戦個人年度別成績

年度	所属球団	試合	打数	安打	本塁打	打点	盗塁	打率
2021	オリックス	10	8	0	0	0	0	.000
通算1年		10	8	0	0	0	0	.000

■二軍公式戦個人年度別成績

年度	所属球団	試合	打数	安打	本塁打	打点	盗塁	打率
2021	オリックス	91	245	50	3	20	5	.204
通算1年		91	245	50	3	20	5	.204

外野手 SUGIMOTO YUTARO

99

杉本 裕太郎

1991年4月5日(31歳) ／190㎝・104kg／B型／
右投右打／7年目／徳島県／
徳島商高-青山学院大-JR西日本-オリックス(ドラフト10巡目・16～)

初出場	2016.6.14(甲子園)対阪神1回戦	先発中堅手
初安打	2017.9.9(koboパーク)対楽天21回戦	1回中本打(辛島)
初本塁打	2017.9.9(koboパーク)対楽天21回戦	1回(辛島)
初打点	2017.9.9(koboパーク)対楽天21回戦	1回(辛島)

[タイトル] ★本塁打王(21)
[表　彰] ★ベストナイン<外>(21)

オリのラオウが遂に覚醒！

元来のパワーに確率を加えた未完の大器が遂に覚醒。ホームランキングかつ３割バッター。これほど頼もしい存在はいない。入団からの５シーズンは、確実性を欠いたバッティングが彼本来の長打力や飛距離という最大の魅力を消してしまっていたのは事実。「ボールをしっかり引き付けたあと、バットは内側から」という"型"を徹底的に体に覚え込ませる練習が結実し、昨季の大ブレイクにつながった。ただ、大切なことは"継続"だと、本人も自覚。ラオウ降臨。一片たりとも悔いは残さない！ ４番を死守して今季もキングへと昇天する。

公式戦個人年度別成績

年度	所属球団	試合	打数	安打	本塁打	打点	盗塁	打率
2016	オリックス	1	3	0	0	0	0	.000
2017	オリックス	9	17	2	1	2	0	.118
2018	オリックス	7	12	3	2	8	0	.250
2019	オリックス	18	51	8	4	7	1	.157
2020	オリックス	41	127	34	2	17	1	.268
2021	オリックス	134	478	144	32	83	3	.301
通算６年		210	688	191	41	117	5	.278

二軍公式戦個人年度別成績

年度	所属球団	試合	打数	安打	本塁打	打点	盗塁	打率
2016	オリックス	48	124	28	3	11	0	.226
2017	オリックス	88	286	77	8	41	5	.269
2018	オリックス	47	109	25	3	15	1	.229
2019	オリックス	78	249	69	14	43	8	.277
2020	オリックス	33	81	30	3	12	0	.370
2021	オリックス	1	1	0	0	0	0	.000
通算６年		295	850	229	31	122	14	.269

いつもありがとうございます

Q&A
①スタイル ②ラオウ ③ゴルフ ④悩みって何？ ⑤サウナ ⑥『ラオウ』と呼ばれていること ⑦黄色 ⑧クリスタルキング、布袋寅泰 ⑨ラオウのコスプレ衣装 ⑪小学１年生 ⑫エスプレッソアフォガードフラペチーノ（ベンティ） ⑬ラオウ ⑭ラオウ ⑮ラオウ ⑯DiorのSAUVAGE ⑱好き♡ ⑲レギュラー定着

外野手　HIRANO YAMATO

004
平野 大和

2001年8月7日(21歳)／177cm・82kg／O型／
右投右打／3年目／宮崎県／
日章学園高-オリックス(ドラフト育成4巡目・20〜)

3年目の今季は結果にこだわる！

昨年6月20日の中日戦（ウエスタン・リーグ）では、代打でのサヨナラヒットを記録。重要な局面での起用も多く、実戦の経験を積んできた。シーズン終盤には力みも抜けて、自身のバッティングに手応えも感じられたという。支配下登録に向けて勝負を賭ける3年目。結果にこだわり、貪欲にプレーすることを誓った！

応援ありがとうございます

Q&A
❶積極性 ❷やまと ❸映画 ❹すぐお腹減る ❺サウナ ❻晴れ男 ❼青 ❽長渕剛 ❾アロマオイル ❿夜の外 ⓫小学2年生 ⓬モスバーガー ⓭犬 ⓮甘い物、アイス ⓯格闘技 ⓰CHANEL ⓲練習をする ⓳支配下

■二軍公式戦個人年度別成績

年度	所属球団	試合	打数	安打	本塁打	打点	盗塁	打率
2020	オリックス	8	12	1	0	0	0	.083
2021	オリックス	32	83	20	0	4	1	.241
通算2年		40	95	21	0	4	1	.221

投手　JACOB WAGUESPACK

NEW 58 ジェイコブ・ワゲスパック

1993年11月5日(29歳)／198cm・106kg／右投右打／1年目／アメリカ／ミシシッピ大-フィリーズ(15〜18)-ブルージェイズ(18途〜21)-オリックス(22〜)

先発候補の長身右腕

アメリカではマイナー、メジャーそれぞれのカテゴリーで、先発、救援の両方で起用されてきた。2019年はトロント・ブルージェイズで16試合(先発は13試合)に登板し、5勝を挙げている。95マイル前後のフォーシームを軸に、チェンジアップ、カッターなどの変化球を操るのが投球スタイルだ。昨シーズンはメジャーでの登板はなく、ブルージェイズ傘下の３Aバッファロー・バイソンズ(AAA)でプレー。日本での所属はオリックス・バファローズ。よほど"牛"に縁があるということか。28歳という年齢も魅力のひとつ。５〜６枚目の先発陣の一角を狙う。

ハロー！ まず、野球のファンであり、このチームを応援してくれてありがとうございます。日本に住むこと、また日本で野球ができることを本当に楽しみにしており、たくさんのファンに会えることも楽しみです。みんなで優勝しましょう！

Q&A ❶誰とでも仲良くなり楽しめること ❷ワグス ❸朝食をつくり、コーヒーを飲み、ぶらぶらする ❹一つだけ選べないほど悩みが多いです ❺いい音楽とおいしい食べ物 ❻周囲に気を配ること ❼赤 ❽マイケル・ジャクソン ❾いい質問だね(笑) ❿最近撮った自撮り画像 ⓫5歳 ⓬リクライニングソファ ⓭ライオン ⓮スパイシーケチャップ ⓯おもしろ動画なら何でも ⓰スタバのコーヒー ⓱『I Want It That Way』Backstreet Boys ⓲常に全力で、しっかり練習し、楽しんで！ ⓳チームの勝利にできるだけ多く貢献し、大阪に優勝をもたらすこと

投手　JESSE BIDDLE

NEW 69 ジェシー・ビドル

1991年10月22日(31歳)／196cm・99kg／左投左打／1年目／アメリカ／ジャーマンタウン・フレンズ校-フィリーズ(10〜15)-パイレーツ(16)-ブレーブス(16途〜19途)-マリナーズ(19途)-レンジャーズ(19途)-レッズ(20)-ブレーブス(21)-オリックス(22〜)

メジャードラ1の救援左腕

2010年のMLBドラフト、フィラデルフィア・フィリーズから１巡目(全体27位) 指名を受けたレフティー。カーブを決め球として、アトランタ・ブレーブス時代の2018年には60試合、翌年にはMLB３球団で合わせて32試合に登板した実績を持つ。ここ２シーズンはマイナーリーグが主戦場となったが、昨年のAAA級での数字は32試合の登板で防御率2.67、奪三振率は14.70となかなかのもの。高身長の左腕カーブボーラーという、今の日本球界には珍しい存在で、オリックスブルペン陣のバリエーションがさらに豊かになるのは間違いない！

日本に来ることをとても楽しみにしています。この素晴らしい国で経験できること全てが待ちきれません。Go Buffaloes!

Q&A ❶人間観察力 ❷ビッグレフティ(大型左腕) ❸ハイキングをして寿司を食べる ❹ストレートの球速が足りない ❺いい音楽とおいしい食べ物 ❻自転車とボート漕ぎ ❼オレンジ ❽Jeff Buckley ❾香水 ❿妻との結婚式の写真 ⓫5歳 ⓬チョコレート ⓭ゴリラ(シルバーバック) ⓮アイスコーヒー ⓯Get Out(映画) ⓰コーヒー ⓱ミュージカル『ハミルトン』の『My Shot』 ⓲野球は9割がメンタル、残りが体力 ⓳バファローズの優勝に貢献すること

内野手 BREYVIC VALERA

NEW 4

ブレイビック・バレラ

1992年1月8日(30歳)／180cm・86kg／右投両打／1年目／ベネズエラ／リセオ ホセ アンドレス カスティーヨ高-カージナルス(10～18途)-ドジャース(18途)-オリオールズ(18途)-ジャイアンツ(19)-ヤンキース(19途)-ブルージェイズ(19途～20)-パドレス(20途)-ブルージェイズ(20途～21)-オリックス(22～)

両打ちのユーティリティー

スイッチヒッターにして、内外野守れるユーティリティープレーヤー。まさにオールラウンダーと呼ぶにふさわしい選手がオリックスに加わった。昨年はシーズン後半にメジャー昇格を果たしたが、前半はAAA級でプレー。マイナーでは打率3割、出塁率4割をクリア。三振も150打席でわずかに19個と、コンタクト率の高い実戦向きの選手だといえそうだ。守備もメジャーでは二塁と三塁を中心にショートやレフト、ライトを守っていて、首脳陣からすれば使い勝手の良い選手ということになるだろう。中嶋監督の起用法にも注目したい。

皆さんのサポートは毎試合欠かせないものです。応援よろしくお願いします

Q&A ❶家族 ❷プレイ ❸映画鑑賞 ❺動物、特に馬 ❻常に自分を高めようと思えること ❼赤 ❽El super nuevo. No me llegan. ❾ココナツオイル ❿馬の写真 ⓫5歳 ⓬家族との時間 ⓭犬 ⓮ガーリックソース ⓰ココナツ ⓱Vicente Fernandez, Divine women. ⓲ネバーギブアップ。一生懸命信じて練習すれば夢はかなう ⓳全力プレーでチームの勝利に貢献する

■公式戦個人年度別成績

年度	所属球団	試合	勝利	敗戦	セーブ	投球回数	自責点	防御率
2010	日本ハム	4	1	2	0	18	11	5.50
2011	日本ハム	2	0	1	0	11	3	2.45
2012	日本ハム	8	2	2	0	45 1/3	9	1.79
2013	日本ハム	13	1	4	0	44	25	5.11
2014	日本ハム	18	8	2	0	97 1/3	41	3.79
2015	日本ハム	10	2	4	0	49 2/3	23	4.17
2016	日本ハム	2	0	1	0	12	8	6.00
2017	日本ハム	2	1	0	0	10	5	4.50
2019	日本ハム	1	0	1	0	2	6	27.00
通算9年		60	15	17	0	289 1/3	131	4.07

■二軍公式戦個人年度別成績

年度	所属球団	試合	勝利	敗戦	セーブ	投球回数	自責点	防御率
2010	日本ハム	14	2	4	0	43	26	5.44
2011	日本ハム	18	8	5	0	100 2/3	29	2.59
2012	日本ハム	14	3	4	0	75 1/3	42	5.02
2013	日本ハム	10	3	3	0	56	24	3.86
2014	日本ハム	8	3	2	0	47	17	3.26
2015	日本ハム	11	3	1	0	52	15	2.60
2016	日本ハム	22	7	6	0	118 2/3	50	3.79
2017	日本ハム	6	3	1	0	29 1/3	12	3.68
2018	日本ハム	6	0	0	0	7 2/3	2	2.35
2019	日本ハム	18	0	6	0	78	41	4.73
通算10年		127	32	32	0	607 2/3	258	3.82

投手 NAKAMURA MASARU

NEW 121

中村 勝

1991年12月11日(31歳)／185cm・83kg／A型／右投右打／11年目／埼玉県／春日部共栄高-日本ハム(ドラフト1巡目・10～19)-ブリスベン・バンディッツ(20～21途)-グアダラハラ・マリアッチス(21途)-オリックス(22～)

初登板 ▶ 2010.8.11 (千葉マリン)対ロッテ17回戦 先発(5回)
初勝利 ▶ 2010.8.11 (千葉マリン)対ロッテ17回戦 先発(5回)
初完封 ▶ 2014.5.24 (札幌ドーム)対横浜2回戦

日本復帰を果たした苦労人右腕

かつて"ダルビッシュ2世"と呼ばれた右腕が、3年ぶりに日本球界に帰ってきた。2019年オフに戦力外を受け、その後、オーストラリア、メキシコと渡り歩き、今年の春季キャンプ途中からテスト生として参加。練習試合で1回無安打2奪三振とアピールし、育成契約をつかみとった。ファイターズ時代に一緒にプレーした指揮官への恩返しのためにも、支配下を目指す。

一日でも早く皆さんの前で投げられるように頑張ります!!

Q&A ❶打者に向かう姿勢 ❷るってぃ ❸寝られるところまで寝る ❹花粉の季節 ❺たまに飲むお酒 ❻今年のおみくじ大吉 ❼青 ❽BLACKPINK、Mr.Children、ONE OK ROCK ❾ディフューザー ❿大阪城 ⓫小学2年生 ⓬セブンのコーヒー ⓭キツネ ⓮水 ⓯ゲーム動画 ⓰JO MALONE ⓱『LOVE YOU ONLY』TOKIO ⓲一緒に頑張ろう!! ⓳支配下登録!!

投手　MUKUNOKI REN

ROOKIE

15

椋木 蓮

2000年1月22日(22歳)／179cm・83kg／O型／
右投右打／1年目／山口県／
高川学園高-東北福祉大-オリックス(ドラフト1巡目・22〜)

即戦力として期待されるドラ1右腕

大学入学後に大きく成長した期待の右腕だ。最速154km/hのストレートに多彩な変化球を操る実戦派で、「変化球の中で自信があるのはフォークとスライダー」と本人は言う。大学時代は先発、抑え両面で活躍。プロでの役割は果たしてどちらなのか？今後は首脳陣が彼の適正やチーム事情を勘案しながら判断することになるのであろうが、「将来的には100勝100セーブが目標」との言葉は頼もしい限り。両コーナーにキッチリ投げ分けられる投球が理想と話すドラ1。即戦力としての期待が大きいだけに、実戦での投球を早く見てみたい。

応援よろしくお願い致します

Q&A

❶伸びのあるストレート ❷ムック ❸動画鑑賞 ❹寝すぎてしまう ❺赤ちゃんの動画 ❻ほっぺがやわらかい ❼オレンジ ❽平井大 ❾化粧水 ❿友だちの姉の赤ちゃん ⓫小学1年生 ⓬昼のご飯は肉を焼く ⓭ナマケモノ ⓮マヨネーズ ⓯YouTube ⓰甘い感じの香り ⓲野球を楽しもう！

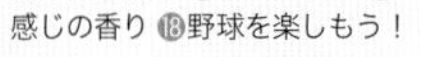

内野手 NOGUCHI TOMOYA

野口 智哉

1999年9月20日（23歳）／181cm・86kg／B型
右投左打／1年目／奈良県
鳴門渦潮高-関西大-オリックス（ドラフト2巡目・22～）

高い身体能力で定位置争いへ名乗り

関西学生野球リーグで、MVP１回、ベストナイン４回を獲得。また同リーグで史上31人目となる通算100安打も達成した。2020年春のリーグ戦が中止され、通常より１季少ない中での記録達成は優れた能力の証明でもある。高い身体能力が生み出すプレーは走攻守全ての面で高レベル。プロの世界での可能性を感じさせる選手のひとりだ。特に肩の強さはアマチュア球界屈指とも謳われ、パワフルな打撃とともに注目したい。 バファローズJr.の一員がトップチームへ！「（吉田）正尚さんのように高い打率を残せ、かつ三振しない打者に」と、高みを目指す。

関西大学から来ました野口です。
応援よろしくお願いします

Q&A
❶肩を生かした守備とミート力が自信のバッティングと、次を狙う走塁 ❷智哉 ❸いっぱい寝る ❹ひげがすぐ生えてくる ❺お寿司とダウンタウン ❻目が茶色 ❼赤 ❽ZARDの坂井いずみさんの顔がファン ❿大学の同期で撮った写真 ⓫小学２年生 ⓬寿司を食べること ⓮食べるラー油 ⓯ダウンタウン ⓰さわやか系 ⓲野球は楽しいよ ⓳開幕一軍

捕手 FUKUNAGA SHO

ROOKIE

32 福永 奨

1999年7月28日(23歳)／175cm・87kg／B型／
右投右打／1年目／神奈川県／
横浜高-國學院大-オリックス(ドラフト3巡目・22〜)

キャプテンシー溢れるリーダー候補

アマチュア時代は各世代で主将を務めきた。そのリーダーシップは誰もが認めるもので、捕手としての資質と合わせ、将来性豊かなルーキー。魅力は安定したスローイングと勝負強い打撃で、「自分としてもそこを見て欲しい。1年目から戦力としてチームの連覇に貢献したい」と抱負を語る。捕手陣の競争がさらに激しくなる。

**1年目から自分の長所を
アピールしていきます。
応援よろしくお願いします**

Q&A
①勝負強さ ②ふく、しょう ③ドラマ鑑賞 ⑥弓道ができる ⑦黄色 ⑧優里 ⑪小学2年生 ⑭アイス ⑯SABON ⑱野球を楽しむこと ⑲チームの戦力になること

外野手 WATANABE HARUTO

ROOKIE

0 渡部 遼人

1999年9月2日(23歳)／170cm・67kg／O型／
左投左打／1年目／東京都／
桐光学園高-慶應義塾大-オリックス(ドラフト4巡目・22〜)

自慢の速さで外野の一角を狙う

打席からファーストベース到達まで要するタイムはわずか3.7秒。無類の俊足が魅力の快速ルーキー。外野守備においても「捕球センスに長けている」と、かつての韋駄天・早川大輔スカウトも太鼓判を押す。当面の目標は「チームの先輩である福田周平さん」と、本人。大学時代、盗塁失敗はゼロ。彼のスピードに注目したい。

大好きです！

Q&A
❶守備力 ❷ハルト ❸とにかく寝る ❹髪型が決まらない ❺友人との時間 ❼青 ❾バスソルト ❿東京駅 ⓫小学2年生 ⓬コンビニで好きなもの爆買い ⓭犬 ⓮ジャスミン茶、アイス ⓰ジャスミン ⓲諦めないこと！ ⓳ケガしない！

外野手　IKEDA RYOMA

ROOKIE

39 池田 陵真

2003年8月24日(19歳)／172cm・85kg／O型／右投右打／1年目／大阪府／大阪桐蔭高-オリックス(ドラフト5巡目・22〜)

目標はマッチョな先輩、正尚さん！

バファローズJr.出身のパワーが自慢の外野手。名門・大阪桐蔭高校で主将を務め、負けられない重圧の中でチームを鼓舞し続けた強いメンタルの持ち主だ。「緊張したことがない」気持ちの強さはプロ向きで、逆方向にも長打を打てる非凡さも強みのひとつ。「自慢は筋肉」と、早速、吉田正尚先輩に弟子入りを志願。目標は決まった。

これから応援よろしくお願いします

Q&A ❶フルスイング、勝負強さ ❷りょうま ❸長風呂 ❹朝が弱い ❺映画を見る ❻筋肉 ❼赤 ❽NiziU ❿家族写真 ⓫小学1年生 ⓭ライオン ⓮炭酸水 ⓯ガードマン ⓲野球を楽しんでほしい ⓳一軍で試合に出ること

投手　YOKOYAMA KAEDE

52 横山 楓

1997年12月28日(25歳)／181cm・91kg／O型／
右投両打／1年目／宮崎県／
宮崎学園高-國學院大-セガサミー-オリックス(ドラフト6巡目・22〜)

真っ向勝負のリリーバー

コンパクトなテイクバックからのストレートは最速153km/h。キレのある変化球とのコンビネーションで、狙って空振りが取れるのは大きな強み。「(國學院) 大学の先輩である清水昇さん(ヤクルト)のような信頼されるリリーバーに！」と、決意を語る。今年のルーキーでは最年長。夢叶ったプロの舞台で輝きたい。

新人らしくフレッシュに頑張ります！

Q&A ❶美しいバックスピンのストレートと大きなお尻 ❷楓 ❸ゲーム ❹冷え症 ❺愛するわが子 ❻最長16時間睡眠 ❼緑 ❽SHISHAMO ❾ブタの抱き枕 ❿家族3人のスリーショット ⓫小学4年生 ⓬ゲームの課金 ⓭ダチョウ ⓮生卵 ⓯ゲーム実況 ⓰ベビーパウダー ⓱『激！帝国華撃団』⓲為せば成る！ ⓳シーズン通して頼れるリリーフになる！

投手　KOGITA ATSUYA

ROOKIE

56 小木田 敦也

1998年10月10日(24歳)／173cm・83kg／AB型／
右投右打／1年目／秋田県／
角館高-TDK-オリックス(ドラフト7巡目・22〜)

キレで勝負の実戦派

速球、スライダーのキレで勝負する実戦向きの右腕。社会人時代から、手本としていたのはチームメイトとなる山岡泰輔だとか。参考にしていた先輩が身近にいるのは何とも心強い。持ち前の強気のピッチングも憧れの先輩に通じる共通点。同郷・秋田の先輩、中嶋監督の期待に応えたい。１年目から勝負に出る。

応援よろしくお願いします

Q&A ❶ストレートとカーブのコンビネーション ❷コギ ❸寝る、ゴルフ ❹チリチリ ❺映画 ❻舌を鳴らすことができる ❼赤 ❽¥ellow Bucks ⓫小学3年生 ⓭ゴリラ ⓮ミルクティー ⓯ダラシメン(YouTube) ⓱『仲間』⓲夢は諦めるな！ ⓳先発ローテーション

外野手 YAMANAKA TAKAYUKI

ROOKIE

020 山中 尭之

1999年3月10日(23歳)／183cm・96kg／A型／
右投右打／1年目／茨城県／つくば秀英高-
共栄大-BCL・茨城-オリックス(育成ドラフト1巡目・22〜)

フルスイングで支配下へアピール

最大の魅力は何といっても、豪快なフルスイングから放たれるその力強い打球と飛距離。「誰を目標にするとかは特にありません。将来的にはホームランと打点の二冠を狙える選手を目指したいです」と、抱く夢は大きい。独立リーグのスラッガーがNPBの舞台で長距離砲として輝けるか！ 次世代の和製大砲への挑戦が始まった！

応援よろしくお願いします

Q&A ❶打撃での飛距離 ❷やま ❸温泉 ❹釣り ❻一回通った道なら忘れない ❼緑 ❽平井大 ❾アロマオイル ❿夕焼け風景 ⓫小学４年生 ⓬高級ステーキ ⓭クマ ⓮ポン酢 ⓯一人キャンプ動画 ⓰フローラル系 ⓱『ハナミズキ』 ⓲やるかやるか ⓳支配下登録

内野手 SONOBE KEITA

ROOKIE

021 園部 佳太

1999年8月24日(23歳)／177cm・88kg／A型／
右投右打／1年目／福島県／いわき光洋高-
BCL・福島-オリックス(育成ドラフト2巡目・22〜)

自慢の長打力でまずは支配下

逆方向にも飛距離を出せる長打力が魅力の内野手。目標とする選手は「長く安定した成績を残されている安達了一選手」だとか。一見、タイプの違うキャラクターとも思えるが、結果を出し続けるという点は目指すべき先輩だ。「良い意味でガツガツいけるように自分をしっかりアピールしたい」と、突っ走る覚悟が頼もしい。

少しでも早く名前と顔を覚えてもらえるように精一杯頑張ります。
また、支配下に向けてアピールするので応援よろしくお願いします

Q&A ❶バッティングと長打力 ❷けいた、ベーやん、ベー ❸掃除、買い物 ❹乾燥 ❺お風呂 ❻大体のスポーツできます ❼緑、オレンジ、赤 ❽ベリーグッドマン ❾化粧水 ❿友だちとの写真 ⓫小学１年生 ⓭熊 ⓮100%ジュース ⓯コムドット ⓰SHIROのボディースプレー ⓲感謝の気持ちを忘れずに頑張ってください ⓳支配下

内野手　OHSATO KOSEI

ROOKIE

022 大里 昂生

1999年7月7日(23歳)／178cm・76kg／O型／右投左打／1年目／岩手県／盛岡大学附属高-東北福祉大-オリックス(育成ドラフト3巡目・22〜)

内野外野OKのユーティリティー

内外野OKのユーティリティーはプロの世界でも貴重な戦力。「ボールに対してのコンタクトに優れ、チーム打撃もしっかりできる。何よりも選球眼が素晴らしい」と担当の上村和裕スカウトは期待を寄せる。「大学時代は三振しない打撃を目指してきた」と本人。自身の持ち味を発揮して、まずは１日も早い支配下を目指す。

応援よろしくお願いします

Q&A　1肩、スマイル 2こうせい、コピ 3映画鑑賞 5犬 7銀 8EXILE 10夜景 11幼稚園 12食後のプリン 14水 16Dior 17『糸』(ATSUSHIバージョン) 18やれるときにやろう 19支配下登録

チームスタッフ TEAM STAFF

球団本部長 兼 国際渉外部長	横田 昭作
ゼネラルマネージャー 兼 編成部長	福良 淳一
Deputy General Manager	長谷川 滋利
管理部長	久保 充広
チーム運営グループ長 一軍チーフマネージャー	佐藤 広
一軍マネージャー	杉山 直久
一軍用具担当	松本 正志
スコアラーグループ長 兼 査定グループ長	島袋 修
査定グループ担当課長	熊谷 泰充
チーフスコアラー	今村 文昭
スコアラー	川畑 泰博
スコアラー	三輪 隆
スコアラー	曽我部 直樹
スコアラー	渡邉 正人
スコアラー	前田 大輔
コンディショニググループ長	本屋敷 俊介
一軍チーフトレーナー	佐々木 健太郎
トレーナー	砂長 秀行
トレーナー	野間 卓也
トレーナー	青田 佑介
チーフトレーニング担当	鎌田 一生
トレーニング担当	久保田 和稔
二軍チーフトレーナー	福條 達樹
トレーナー	幕田 英治
トレーナー	宮野 貴範
トレーナー	中谷 大志
トレーナー兼 リハビリ担当	植田 浩章
リハビリ担当	田中 康雄
トレーニング担当	鈴川 勝也
チーフ通訳	荒木 陽平
通訳	藤田 義隆
渉外アシスタント兼 通訳	澤村 直樹
通訳	若林 慶一郎
育成グループ長 兼 二軍チーフマネージャー	田中 雅興
二軍マネージャー	渡邊 隆洋
二軍サブマネージャー	大橋 貴博
育成グループスコアラー	依田 栄二
二軍用具担当	山内 嘉弘
青濤館寮長	山田 真実
青濤館副寮長	山本 克也
青濤館副寮長	葉室 太郎
アシスタントスタッフ	清田 文章
アシスタントスタッフ	太田 暁
アシスタントスタッフ	杉本 尚文
アシスタントスタッフ	山岡 洋之
アシスタントスタッフ	瓜野 純嗣
アシスタントスタッフ 兼 用具担当補佐	古川 秀一
アシスタントスタッフ	大嶋 達也
アシスタントスタッフ	宮川 祥
アシスタントスタッフ	漆戸 駿
アシスタントスタッフ 兼 育成グループ	岩橋 慶侍
アシスタントスタッフ	左澤 優
アシスタントスタッフ	久保 聖也
アシスタントスタッフ	比屋根 彰人
アシスタントスタッフ	稲富 宏樹
広報部長	森川 秀樹
広報部 チーフ	町 豪将
広報	佐藤 達也

記録に挑む

日々の鍛錬に耐え、一つひとつ積み上げてきた結果が大記録へとつながる。2022年シーズンも数々の記録が達成されることが予想される。今シーズン、記録に挑む候補選手たちを紹介しよう。

増井 浩俊

600 試合登板

現在	549試合
達成まで	51試合
初登板	2010.4.9 vs.ソフトバンク4回戦（ヤフードーム）

200 セーブ

現在	163セーブ
達成まで	37セーブ
初セーブ	2012.5.6 vs.オリックス9回戦（札幌ドーム）

200 ホールド

現在	158ホールド
達成まで	42ホールド
初ホールド	2011.4.15 vs.ロッテ1回戦（札幌ドーム）

能見 篤史

500 試合登板

現在	469試合
達成まで	31試合
初登板	2005.4.3 vs.ヤクルト 3回戦（大阪ドーム）

平野 佳寿

600 試合登板

現在	595試合
達成まで	5試合
初登板	2006.3.26 vs.西武 2回戦（インボイス）

200 セーブ

現在	185セーブ
達成まで	15セーブ
初セーブ	2010.7.28 vs.日本ハム16回戦（スカイマーク）

1000 奪三振

現在	921奪三振
達成まで	79奪三振
初奪三振	2006.3.30 vs.楽天3回戦（フルスタ宮城）

吉田 正尚

150 本塁打

現在	112本塁打
達成まで	38本塁打
初本塁打	2016.8.18 vs.日本ハム18回戦（札幌ドーム）

後藤 駿太

1000 試合出場

現在	878試合
達成まで	122試合
初出場	2011.4.12 vs.ソフトバンク1回戦（京セラドーム大阪）

T-岡田

250 本塁打

現在	203本塁打
達成まで	47本塁打
初本塁打	2009.8.14 vs.ソフトバンク15回戦（スカイマーク）

安達 了一

1000 安打

現在	833安打
達成まで	167安打
初安打	2012.7.7 vs.ロッテ10回戦（QVCマリン）

250 犠打

現在	220犠打
達成まで	30犠打
初犠打	2012.5.31 vs.中日2回戦（ナゴヤドーム）

728
J-FUJIWARA

1996年2月8日(26歳) ／168cm ／ B型
右投右打／19年目／大阪府

デビュー ► 2021.11.21 なにわ男子シングル『初心LOVE(うぶらぶ)』
BsCLUB会員ポイント数 ► 1000位以内

オリックス愛を貫く アイドル兼"自称"広報部長

2018年に関西ジャニーズJr.内で結成された７人組ユニット『なにわ男子』のメンバーであり、副リーダー。本名は藤原丈一郎、愛称はじょー。小学２年生時の2004年２月にジャニーズ事務所に入所。オリックスが日本シリーズを決めた同日の2021年11月12日にキラキラとキュンキュンが存分に詰め込まれた『初心LOVE(うぶらぶ)』でCDデビューを果たした。入所からデビューまでの期間は、歴代最長の17年９か月と苦労人ではあるが、その愛くるしい笑顔と時折見せる大人の魅力で多くのファンを虜にしている。

また、アイドルとして活躍する傍ら、熱狂的なオリックスファンとして抜群の存在感を発揮。今ではオリックスファンからも一目置かれる存在へと成長した。京セラドーム大阪には小学生の頃から何度も足を運び、中学１年時からファンクラブ会員となって現在も継続中。会員ポイントの上位ランク者であり、３年前から年間シートも保有する。2019年の『熱闘甲子園直前SP！ 号泣甲子園』でナレーションを担当したこともある。今シーズンの目標は京セラ、ほっともっと神戸で30試合、地方で10試合の観戦をすること。今年も会員ポイントをどれだけ増やすことができるのか!? そして、念願の日本一になってメンバーとビールかけだ！

2022年こそ日本一という忘れ物をみんなで取りに行きましょう！！！！！！！

Q&A

Q 1 俺のココを見てくれ!
アイドルとオリックス愛の二刀流!

Q 2 俺をこう呼んでくれ!
じょー、J-FUJIWARA

Q 3 俺の球場ルーティンは?
スタメン発表前に予想を立てる!

Q 4 俺の最近のプチ悩みは?
オリグッズを買いすぎて、毎回届く度に何買ったっけ? ってなること(笑)

Q 5 俺の癒し!
オリックスの白星!

Q 6 俺のちょっとしたバファローズの自慢!
オリごはんを食べる!

Q 7 俺のラッキーカラー!
青、ゴールド

Q 8 俺の登場曲!
『初心LOVE(うぶらぶ)』なにわ男子

Q 9 俺のお気に入りバファローズグッズ!
ユニフォーム型バック(チケット購入の際に特典でついてきたやつ)

Q 10 俺の球場のおすすめスポットは?
Bs SHOP！全球団のグッズが置いているから!

Q 11 俺がバファローズを好きになったのは?
小学校高学年の頃から!

Q 12 俺のちょっとした球場の贅沢!
バックネット裏の席で右手にメロンソーダ、左手にいてまえドッグ!

Q 13 俺の憧れの選手!
T-岡田選手

Q 14 俺が野球選手だったら打順とポジションは?
3番、キャッチャー

Q 15 俺の今シーズンの目標・公約はコレだ!
京セラと神戸で30試合! &地方10試合観戦する

ORIX BUFFALOES PERFECT DATABASE 2022

パーフェクトデータベース

プレー以外に関するデータから出身地や誕生日などをピックアップ。
詳細データを把握すれば、球場やテレビでの野球観戦がより楽しくなる!

誕生日&星座

1月

日	背番号	名前	星座
7日	3	安達	♑
8日	4	バレラ	♑
18日		中垣コーチ	♑
21日	30	K-鈴木	♒
22日	15	椋木	♒
24日	76	風岡コーチ	♒

2月

日	背番号	名前	星座
7日	24	紅林	♒
9日	55	T-岡田	♒
14日	31	太田	♒
21日	25	西村	♓
26日	98	張	♓

3月

日	背番号	名前	星座
5日	8	後藤	♓
8日	16	平野佳	♓
10日	020	山中	♓
27日	78	中嶋監督	♈

4月

日	背番号	名前	星座
5日	99	杉本	♈
12日	67	中川圭	♈
16日	001	佐藤一	♈
21日	72	平井コーチ	♉
24日	42	ラベロ	♉
27日	49	澤田	♉

5月

日	背番号	名前	星座
3日	28	富山	♉
10日	71	岸田コーチ	♉
12日	23	伏見	♉
17日	27	元	♉
28日	26	能見	♊
29日	124	近藤	♊

6月

日	背番号	名前	星座
5日	80	小島コーチ	♊
6日	22	村西	♊
7日	6	宗	♊
8日	79	辻コーチ	♊
10日	012	辻垣	♊
14日	10	大城	♊
15日	63	山﨑颯	♊
18日	011	川瀬	♊
20日	84	鈴木コーチ	♊
	66	吉田凌	♊
26日	17	増井	♋
30日	014	釣	♋

7月

日	背番号	名前	星座
2日	81	田口コーチ	♋
7日	022	大里	♋
10日	70	松井コーチ	♋
15日	7	吉田正	♋
16日	12	山下	♋
17日	62	中川拓	♋
20日	86	由田コーチ	♋
27日	46	本田	♌
28日	32	福永	♌

8月

日	背番号	名前	星座
2日	5	西野	♌
3日	29	田嶋	♌
7日	004	平野大	♌
	85	髙橋コーチ	♌
8日	1	福田	♌
11日	120	廣澤	♌
	75	厚澤コーチ	♌
13日	43	前	♌
	82	入来コーチ	♌
14日	90	別府コーチ	♌
16日	54	黒木	♌
	74	山崎コーチ	♌
17日	18	山本	♌
18日	008	松山	♌
24日	39	池田	♍
	021	園部	♍
25日	13	宮城	♍
	125	榊原	♍
29日	002	谷岡	♍

9月

日	背番号	名前	星座
2日	0	渡部	♍
	47	海田	♍
	41	佐野皓	♍
	60	佐野如	♍
8日	73	高山コーチ	♍
9日	11	山崎福	♍
10日	65	漆原	♍
13日	003	中田	♍
19日	57	山田	♍
	91	飯田コーチ	♍
20日	9	野口	♍
22日	19	山岡	♍
27日	21	竹安	♎

10月

日	背番号	名前	星座
1日	88	水本コーチ	♎
4日	2	若月	♎
10日	37	中川颯	♎
	56	小木田	♎
	83	小谷野コーチ	♎
11日	77	梵コーチ	♎
16日	38	来田	♎
22日	69	ビドル	♎
26日	36	山足	♏

11月

日	背番号	名前	星座
3日	45	阿部	♏
	40	大下	♏
4日	50	小田	♏
5日	58	ワゲスパック	♏
10日	013	宇田川	♏
17日	44	頓宮	♏
19日	33	松井	♏
22日	005	鶴見	♏
26日	53	宜保	♐
30日	89	小林二軍監督	♐

12月

日	背番号	名前	星座
7日	35	比嘉	♐
11日	121	中村	♐
14日	128	東	♐
18日	48	齋藤	♐
23日	87	齋藤コーチ	♑
28日	52	横山	♑
30日	59	バルガス	♑

※♑山羊座(12月22日～1月19日) ♒水瓶座(1月20日～2月18日)
♓魚座(2月19日～3月20日) ♈牡羊座(3月21日～4月19日)
♉牡牛座(4月20日～5月20日) ♊双子座(5月21日～6月21日)
♋蟹座(6月22日～7月22日) ♌獅子座(7月23日～8月22日)
♍乙女座(8月23日～9月22日) ♎天秤座(9月23日～10月23日)
♏蠍座(10月24日～11月22日) ♐射手座(11月23日～12月21日)

入団年

2006年
- 55 T-岡田(高1)

2010年
- 35 比嘉(2)
- 57 山田(3)

2011年
- 8 後藤(1)

2012年
- 3 安達(1)
- 47 海田(4)

2013年
- 23 伏見(3)

2014年
- 2 若月(3)

2015年
- 11 山崎福(1)
- 6 宗(2)
- 41 佐野皓(3)
- 48 齋藤(5)
- 5 西野(7)
- 50 小田(8)

2016年
- 7 吉田正(1)
- 124 近藤(2)
- 10 大城(3)
- 66 吉田凌(5)
- 99 杉本(10)

2017年
- 19 山岡(1)
- 54 黒木(2)
- 18 山本(4)
- 63 山﨑颯(6)
- 49 澤田(8)
- 98 張(育1)
- 125 榊原(育2)

2018年
- 29 田嶋(1)
- 30 K-鈴木(2)
- 1 福田(3)
- 46 本田(4)
- 25 西村(5)
- 120 廣澤(7)
- 36 山足(8)
- 128 東(育2)
- 17 増井(FA)

2019年
- 31 太田(1)
- 44 頓宮(2)
- 28 富山(4)
- 53 宜保(5)
- 67 中川圭(7)
- 65 漆原(育1)
- 21 竹安(他)
- 33 松井雅(ト)

2020年
- 13 宮城(1)
- 24 紅林(2)
- 22 村西(3)
- 43 前(4)
- 001 佐藤一(育1)
- 002 谷岡(育2)
- 003 中田(育3)
- 004 平野大(育4)
- 005 鶴見(育5)
- 40 大下(育6)
- 008 松山(育8)

2021年
- 12 山下(1)
- 27 元(2)
- 38 来田(3)
- 37 中川颯(4)
- 62 中川拓(5)
- 45 阿部(6)
- 011 川瀬(育1)
- 012 辻垣(育2)
- 013 宇田川(育3)
- 014 釣(育4)
- 60 佐野如(育5)
- 16 平野佳(復)
- 26 能見(他)
- 59 バルガス(他)
- 42 ラベロ(助)

2022年
- 15 椋木(1)
- 9 野口(2)
- 32 福永(3)
- 0 渡部(4)
- 39 池田(5)
- 52 横山(6)
- 56 小木田(7)
- 020 山中(育1)
- 021 園部(育2)
- 022 大里(育3)
- 58 ワゲスパック(助)
- 69 ビドル(助)
- 4 バレラ(助)
- 121 中村(他)

経歴

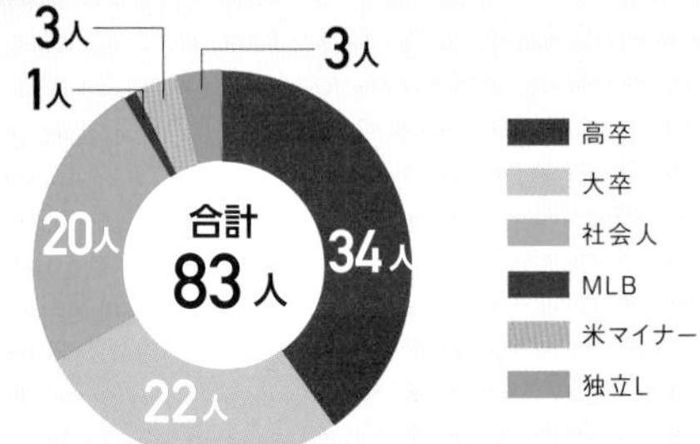

略称は以下の通り
(数字)=ドラフト順位
(高～)=高校生ドラフト/指名順位
(大・社～)=大学・社会人ドラフト/指名順位
(育～)=育成ドラフト/指名順位
(FA)=FA入団
(ト)=トレード
(復)=復帰
(助)=外国人選手
(他)=その他

出身地&出身高校

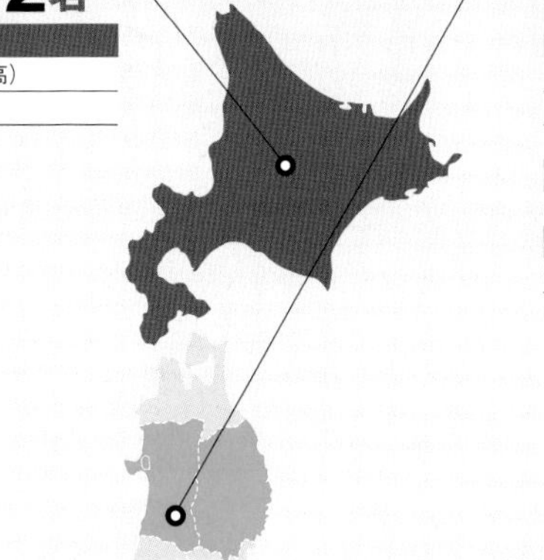

海外出身者6名

アメリカ
- 58 ワゲスパック(ダッチタウン高)
- 69 ビドル(ジャーマンタウン・フレンズ校)

台湾
- 98 張(福岡第一高/福岡県)

メキシコ
- 59 バルガス(セントロ・エスコラル・ニニョス・エロエス・デ・チャプルテペク高)

ベネズエラ
- 4 バレラ(リセオ ホセ アンドレス カスティーヨ高)

キューバ
- 42 ラベロ(ハイアリア高)

中国出身者10名

広島
- 19 山岡(瀬戸内高)
- 47 海田(賀茂高)
- 002 谷岡(武田高)
- 77 梵コーチ(三次高)
- 89 小林二軍監督(崇徳高)

岡山
- 18 山本(都城高/宮崎県)
- 44 頓宮(岡山理科大附属高)
- 85 高橋コーチ(津山工業高)
- 88 水本コーチ(倉敷工高)

山口
- 15 椋木(高川学園高)

※島根、鳥取出身者なし

九州出身者14名

熊本
- 50 小田(九州学院高)

鹿児島
- 90 別府コーチ(鹿屋商高)

福岡
- 12 山下(福岡大附大濠高)
- 40 大下(白鷗大足利高/栃木県)

大分
- 41 佐野皓(大分高)
- 011 川瀬(大分商高)
- 120 廣澤(大分商高)

宮崎
- 52 横山(宮崎学園高)
- 004 平野(日章学園高)
- 82 入来コーチ(PL学園高/大阪府)

沖縄
- 10 大城(興南高)
- 13 宮城(興南高)
- 35 比嘉(コザ高)
- 53 宜保(KBC学園未来高沖縄)

※佐賀、長崎出身者なし

中部出身者12名

福井
- 7 吉田正(敦賀気比高)
- 57 山田(敦賀気比高)

岐阜
- 27 元(中京高)

石川
- 63 山崎颯(敦賀気比高/福井県)
- 86 由田コーチ(桐蔭学院高/神奈川県)

愛知
- 62 中川拓(豊橋中央高)
- 76 風岡コーチ(中部大春日丘高)
- 87 齋藤コーチ(豊田大谷高)

新潟
- 65 漆原(新潟明訓高)

静岡
- 17 増井(静岡高)
- 21 竹安(伊東商高)
- 24 紅林(駿河総合高)

※富山、山梨、長野出身者なし

四国出身者3名

愛媛
- 49 澤田(大阪桐蔭高/大阪府)
- 72 平井コーチ(宇和島東高)

徳島
- 99 杉本(徳島商高)

※高知、香川出身者なし

北海道出身者2名

北海道
- 23 伏見(東海大付第四高)
- 48 齋藤(北照高)

東北出身者5名

秋田
- 56 小木田(角館高)
- 73 高山コーチ(秋田商業高)
- 78 中嶋監督(鷹巣農林高)

福島
- 021 園部(いわき光洋高)

岩手
- 022 大里(盛岡大学附属高)

※青森、山形、宮城出身者なし

近畿出身者26名

兵庫
- 22 村西(津名高)
- 26 能見(鳥取城北高/鳥取県)
- 38 来田(明石商高)
- 66 吉田凌(東海大付相模高/神奈川県)
- 012 辻垣(学法福島高/福島県)
- 014 釣(京都国際高/京都府)
- 128 東(神戸弘陵学園高)
- 74 山崎コーチ(報徳学院高)
- 81 田口コーチ(西宮北高)

滋賀
- 25 西村(青森山田高/青森県)

奈良
- 9 野口(鳴門渦潮高/徳島県)

京都
- 16 平野佳(鳥羽高)

大阪
- 1 福田(広陵高/広島県)
- 31 太田(天理高/奈良県)
- 36 山足(大阪桐蔭高)
- 39 池田(大阪桐蔭高)
- 45 阿部(酒田南高/山形県)
- 67 中川圭(PL学園高)
- 55 T-岡田(履正社高)
- 124 近藤(浪速高)
- 70 松井コーチ(大阪商大堺高)
- 71 岸田コーチ(履正社高)
- 79 辻コーチ(松商学園高/長野県)

和歌山
- 28 富山(九州国際大付高/福岡県)
- 003 中田(大阪桐蔭高/大阪府)

三重
- 43 前(津田学園高)

関東出身者28名

群馬
- 3 安達(榛名高)
- 8 後藤(前橋商高)
- 33 松井(桐生第一高)
- 80 小島コーチ(桐生第一高)

埼玉
- 2 若月(花咲徳栄高)
- 11 山崎福(日大三高/東京都)
- 013 宇田川(八潮南高)
- 121 中村(春日部共栄高)
- 75 厚澤コーチ(大宮工高)

神奈川
- 32 福永(横浜高)
- 37 中川颯(桐光学園高)
- 46 本田(星槎国際湘南高)
- 54 黒木(橘学苑高)
- 001 佐藤一(横浜隼人高)

栃木
- 29 田嶋(佐野日大高)

東京
- 0 渡部(桐光学園高/神奈川県)
- 5 西野(東海大付浦安高/千葉県)
- 6 宗(横浜隼人高/神奈川県)
- 008 松山(都立第四商高)
- 83 小谷野コーチ(創価高)
- 84 鈴木コーチ(東海大菅生高)
- 中垣コーチ(狛江高)

茨城
- 60 佐野如(霞ヶ浦高)
- 005 鶴見(常磐大高)
- 020 山中(つくば秀英高)
- 91 飯田コーチ(常総学院高)

千葉
- 30 K-鈴木(千葉明徳高)
- 125 榊原(浦和学院高/埼玉県)

血液型

血液型					
A型(22名)	1 福田	29 田嶋	38 来田	66 吉田凌	021 園部
	8 後藤	30 K-鈴木	41 佐野皓	003 中田	121 中村
	13 宮城	33 松井	43 前	008 松山	
	17 増井	35 比嘉	46 本田	011 川瀬	
	19 山岡	37 中川颯	54 黒木	020 山中	
B型(21名)	6 宗	12 山下	47 海田	62 中川拓	120 廣澤
	7 吉田正	24 紅林	49 澤田	63 山崎颯	
	9 野口	31 太田	55 T-岡田	65 漆原	
	10 大城	32 福永	57 山田	67 中川圭	
	11 山崎福	45 阿部	60 佐野如	99 杉本	
O型(26名)	0 渡部	21 竹安	50 小田	004 平野大	124 近藤
	2 若月	22 村西	52 横山	005 鶴見	128 東
	3 安達	25 西村	53 宜保	012 辻垣	
	5 西野	27 元	59 バルガス	013 宇田川	
	15 椋木	39 池田	98 張	014 釣	
	16 平野佳	48 齋藤	002 谷岡	022 大里	
AB型(10名)	18 山本	36 山足	001 佐藤一		
	23 伏見	40 大下	125 榊原		
	26 能見	44 頓宮			
	28 富山	56 小木田			
不明(4名)	4 バレラ	42 ラベロ	58 ワゲスパック	69 ビドル	

年齢

※表記は満年齢

年齢									
19歳	39 池田								
20歳	12 山下	24 紅林	27 元	38 来田	62 中川拓	011 川瀬	012 辻垣	014 釣	
21歳	13 宮城	31 太田	43 前	001 佐藤一	002 谷岡	003 中田	004 平野大	005 鶴見	
22歳	15 椋木	53 宜保	008 松山						
23歳	0 渡部	9 野口	32 福永	46 本田	020 山中	021 園部	022 大里	120 廣澤	128 東
24歳	18 山本	37 中川颯	56 小木田	60 佐野如	63 山崎颯	013 宇田川	125 榊原		
25歳	22 村西	28 富山	40 大下	52 横山	66 吉田凌				
26歳	6 宗	25 西村	29 田嶋	41 佐野皓	44 頓宮	48 齋藤	65 漆原	67 中川圭	
27歳	2 若月	19 山岡							
28歳	21 竹安	30 K-鈴木	49 澤田	54 黒木	98 張				
29歳	7 吉田正	8 後藤	10 大城	36 山足	58 ワゲスパック				
30歳	1 福田	4 バレラ	11 山崎福	42 ラベロ	45 阿部				
31歳	57 山田	59 バルガス	69 ビドル	99 杉本	121 中村	124 近藤			
32歳	5 西野	23 伏見							
33歳	50 小田								
34歳	3 安達	55 T-岡田							
35歳	33 松井雅	47 海田							
36歳									
37歳									
38歳	16 平野佳	17 増井							
39歳									
40歳	35 比嘉								
41歳									
42歳									
43歳	26 能見								

平均 26.1歳

意外な素顔が分かるかも!?

Bs RANKING 2022

毎年恒例の大好評企画「BsRANKING」！今年も選手のみなさんのご協力のもと、アンケートを実施しました。アンケート結果とともに、選手の意外な一面をチェックしよう!

マジでモテる NO.1 男前!

1位 12票 小田 裕也

かっこいい／イケメンってこういう顔だと思う／顔／渋い／ずっと見ていられる／僕が小田さんのこと好きだから

2位 山本 由伸 8票

かっこかわいい／やさしすぎる／かっこいい／かっけぇ……／メディアによく出てるから

2位 山岡 泰輔 8票

人気がすごい／とりあえずかっこいい／とにかくかっこいい／服装も顔も性格もかっこいい／イケメン／おしゃれ

番外編
山﨑 颯一郎 性格以外素晴らしい
松井 雅人 昭和の男、平成も知らない

ムードメーカー NO.1 おもろい!

2位 福田 周平 5票

うるさい／おもしろい／本当よくしゃべる／ロッカーでうるさい

2位 宗 佑磨 5票

おもしろい！／ふざけている／なぞに踊ったりする

1位 16票 大下 誠一郎

そのまま／声がでかい／盛り上げ番長／いつも元気／声をめっちゃ出している／ムードメーカー／フレーズつくる

番外編
比嘉 幹貴 みんなにいじられている
伏見 寅威 大人のお笑いを知っている

リーダーシップ NO.1 頼れる!

1位 22票 伏見 寅威

ちゃんと怒ってくれる／先頭に立っていろいろしている／的確なアドバイスをくれる／いろんな人を気にかけている／いつも声をかけてくださる／みんなのことを気にしていると思う／お兄ちゃん感／肩幅すごい

2位 6票 平野 佳寿

守護神／存在感のすごさ／頼りになる

3位 5票 吉田 正尚

背中で引っ張れる／ついていきたい／頼れる／意外と良いこと言う

番外編
海田 智行 プロテインを広めた影響力／何でもやってくれる
若月 健矢 実はキャプテンになりたそう

気になる後輩 NO.1 かわいい!

2位 山下 舜平大 4票

いいやつ／可愛い／しっかりしすぎている

2位 川瀬 堅斗 4票

ひと懐っこい／常に笑っている／髪型がキノコ

1位 6票 宮城 大弥

野球をやってる時とのギャップがすごい／愛くるしい／顔が傾いてる

番外編
杉本 裕太郎 1つ先輩だけど後輩みたいなもん
漆原 大晟 なにかと気になる／せびってくる

不思議!? 癖が強い NO.1

1位 12票 吉田 正尚
何を考えているのかよくわからない／会話にならない／癖しかない／ロッカーが汚い／Theマイペース／レベルが違う

2位 紅林 弘太郎 11票
変顔や一発芸の癖がすごい／何を考えているか分からない／予想外の行動ばかり／屁をこく／GMの車を勝手にいじる

3位 田嶋 大樹 10票
マウンドでつぶやいてる／ちょっと不思議／ふわふわしている／よくわからん

番外編
福田 周平　常にふざけてる／友だちか！／自分しか勝たん系男子
山下 舜平太　山下ワールドがある

見習うべき手本！ 真面目な生徒会長NO.1

2位 5票 伏見 寅威
先生！／何事にも必死／行動力がすごい／真面目

2位 5票 T-岡田
すごくいい人／真面目／しっかりしている／クソ真面目／まじお手本

1位 6票 山下 舜平太
練習でも私生活でもとにかく真面目／いつも練習している／クソ真面目／真面目すぎるくらい真面目

番外編
能見 篤史　全てが手本／何でも知ってる
阿部 翔太　節目に必ず襟付きのシャツで球場に来る
海田 智行　サプリメントを見習うべき

香水？柔軟剤？ いい匂いNO.1

1位 9票 小田 裕也
すれ違うといい匂いする／柔軟剤の香り／常にいい匂い／鼻に残る／エロいです／甘い匂いがする／匂いからかっけぇ

2位 8票 山岡 泰輔
常にいい匂い／どこにいっても匂いがする／いろんな香水持っている／いたら分かる／チャラい

3位 7票 T-岡田
いい匂いがふわっとする／香水の匂い／おしゃれそうな匂い

番外編
山本 由伸　（柔軟剤を）入れる量では誰にも負けない
山﨑 福也　横を通るといい匂い／オーラが甘い

甘党！ スイーツ男子NO.1

1位 杉本 裕太郎 30票
俺しかおらん／甘いものが大好き／パンケーキのイメージ／いつも食べている／ラオウが触ったところにはクリームがついている／ご飯食べずに食ってる／スタバばかり飲んでいる／体はスイーツでできている／常に食っとる／神戸のパティシエ

2位 4票 来田 涼斗
冷蔵庫にいつもスイーツが入っている／たくさん食べる

3位 2票 宮城 大弥
スイーツ好きらしい

番外編
宇田川 優希　美味しそうにホテルのデザート食べてた
釣 寿生　スイーツ系はなんでも食べている

あざとかわいいNO.1

1位 16票 **宮城 大弥**

自分のかわいさを理解している／行動がかわいい／坊主の方がよかった／かわいこぶる／狙って行動している／行動があざとい／アヒル口する／あざといけどかわいくはない

2位 **山本 由伸** 8票

かわいー！／嫌いにならない／生意気だけどかわいい／何でも許される

3位 **川瀬 堅斗** 4票

なんかかわいい／あざとい／かわいくてつい許しちゃう

番外編		
	T-岡田	髭がかわいい(笑)
	廣澤 伸哉	方言がかわいい

歌がうまいNO.1

歌手デビュー♪

1位 19票 **宗 佑磨**

うまいという噂が聞こえてくる／美声／海外の歌もうまい／声が綺麗／気がつくと歌ってる／いつも歌ってる

2位 **元 謙太** 8票

いつも歌っててうまい／風呂で歌っている／歌に自信を持っている／いつも歌っているがうまい

3位 **山﨑 颯一郎** 3票

スタイル、顔、イケボ／ビブラートやばい

番外編		
	宇田川 優希	EXILEの曲がうまい
	榊原 翼	盛り上がる。野球より歌がうまい

料理上手NO.1

まるでコック！

1位 23票 **竹安 大知**

インスタに載せていたのがすごかった／何でもつくりそう／いつもつくっている／ローストビーフつくってる／豚汁がうまい／独身術を極めている／シェフ／器具がすごい／多分結婚できない

2位 **宜保 翔** 4票

なんかうまそう。いつも食堂で何かつくってる／器用／茶碗蒸しつくるのがうまい／料理上手

3位 **杉本 裕太郎** 3票

パンケーキつくってると思う／スイーツつくってそう

番外編		
	大城 滉二	沖縄料理がうまい
	山﨑 颯一郎	吹田の主婦

セクシー NO.1

あふれる色気！

1位 17票 **小田 裕也**

イケメンすぎる／色気がある／常にセクシーが出ている／セクシー／大人の色気／見ての通り／見た通り／意図的に出している気がする

2位 **山岡 泰輔** 7票

ファッションもセクシー／おしゃれ／チャラい

3位 **山﨑 颯一郎** 4票

エプロンがエロい／吹田の主婦

番外編		
	増井 浩俊	大人の色気がプンプンする
	入来 祐作コーチ	色気が出ている

緊張しいNO.1

膝ガクガク！

1位 6票 **榊原 翼**

顔に出る／ソワソワしている／そんな感じがします

2位 4票 **山下 舜平大**

ソワソワしている／気が弱い

2位 4票 **宮城 大弥**

緊張するって言ってる

番外編		
	若月 健矢	吐きそうになっている
	頓宮 裕真	終盤口数減る

恋のライバルにしたくないNO.1

1位 山岡 泰輔 6票

かっこいいから勝てるはずがない／イケメンだから／負けそう

1位 山本 由伸 6票

勝てる気がしない／すべて敵わない／勝ち目なし

2位 山﨑 颯一郎 3票

スタイルと顔が良すぎる／長身でイケメン／若さ

番外編

比嘉 幹貴
ずるい手をたくさん知ってそう

紅林 弘太郎
嫉妬深そう

運動音痴NO.1

意外！

1位 本田 仁海 16票

ちゃんと走れているのを見たことがない／投げれるけど取れない／なんでも下手／動きのセンスが……（笑）／ジャンプできない／ほぼ何もできない／投げることしかできない／投げること以外ヘタ

2位 山﨑 颯一郎 5票

まず守備が下手くそ／アップのときおかしい／野球以外できない／ゴルフでクラブ折りすぎ

3位 宮城 大弥 4票

自転車に乗れない／野球以外できなそう／アップを見て

番外編

竹安 大知	静岡県出身なのにサッカーが下手
西野 真弘	スキップできない

チームのお母さんNO.1

世話好き！

1位 伏見 寅威 6票

みんなと接している／常に周りが見えている／バファローズのママ

2位 海田 智行 4票

プロテインのメニュー表を紙に書いてくれる／面倒見がいい

3位 比嘉 幹貴 3票

優しい／安心感がある

番外編

増井 浩俊	人のロッカーを片付けてる
T-岡田	いっぱい物をくれる

努力家NO.1

練習の虫！

1位 山足 達也 13票

常にバットを持っている／試合後にも練習する／一生練習している／バット握って寝る／すごい／努力家／メジャーリーガー

2位 山下 舜平大 10票

いつもウエイトルームか室内練習場にいる／練習が友だち／毎日トレーニングしている／野球大好き／毎日練習している

3位 張 奕 9票

いつも練習している／ずっと練習している／いつも最後までいる／ウエイトルームの主

番外編

海田 智行	トレーニングめっちゃする
紅林 弘太郎	寮にいる時に室内かウエイト場に行くとだいたいいる

TEAM MASCOT

多くのみなさまに愛されているオリックス・バファローズ公式マスコット「バファローブル」と「バファローベル」。やんちゃでパワフル！ 好奇心旺盛なお兄ちゃんと、愛嬌たっぷり優しい妹のふたりが、お互いをフォローし合いながら、チームを全力で応援し、盛り上げます。

【Q&Aの見方】
①ココを見てくれ! ②こう呼んでくれ! ③休日のルーティンは? ④最近のプチ悩みは? ⑤癒し! ⑥ちょっとした自慢! ⑦ラッキーカラー! ⑧お気に入りミュージシャン! ⑨家にある女子力が一番高いものは? ⑩最近スマホで撮影したお気に入りの写真は? ⑪ちょっとした贅沢! ⑫動物に例えると! ⑬冷蔵庫に入っていないと困るものは? ⑭最近のお気に入りの動画ジャンルは? ⑮お気に入りの香りは? ⑯カラオケの十八番は? ⑰今シーズンの目標・公約はコレだ!

ことしこそみんなで日本のいちばん
うえからのけしきみてうれしなきしようね!
ぼくたちといっしょにあつくおうえんしよなー☆

だいすき♡

111
バファローブル
Buffalo BULL

バファローズ愛にあふれた、やんちゃでパワフルな好奇心旺盛のお兄ちゃん。ファンサービスは常に全力投球！目指すはマスコット界の日本一。「Buffalo BULL」の「ブル」という名前は、目の色の「BLUE（ブルー）」と強く勇敢な雄牛「BULL（ブル）」を意味している。さらに、ファンを「ブルブル」と身震いさせるような熱い戦い、勝利を! という思いが込められている。

Q & A

①ダンス、おえかき ②ブル、ブルくん、イケメン ③うぶらぶをききながら、まどをあける ④ SNS のフォロワーをふやしたい…… ⑤たんじょうびにもらったディフューザー ⑥ライブとかドームの上からのぞける ⑦ゴールド ⑧なにわ男子 ⑪おにぎりビュッフェ ⑬ベルのいちご。なかったらすねるねん ⑭ BsGirls チャンネル ⑮たきたてのごはん ⑯うぶらぶ ⑰バファローズ日本一!!

222
バファローベル
Buffalo BELL

愛嬌たっぷりのバファローブルの妹。名前の由来は、勝利の女神で、勝利の「鐘（ベル）」を鳴らし、かわいらしさと「美しさ（フランス語のBelle）」の意味が込められている。キュートな表情に、かわいらしい仕草で胸キュンする人も多い。おしゃれなコーディネートにも注目だ。

Q & A

①もちろん、かわいいとこ！ ②ベルちゃん♪ ③食べて寝る、起きて食べる ④食べてすぐ寝たらウシになるって言われたこと ⑤バファローズのせんしゅたち！ ⑥まつげと美白♪ ⑦ピンク♡ ⑧ BsGirls ⑨お洋服とヘアアクセ ⑩かわいく撮れた自撮り! ⑪つかれたら、外野でねころぶこと（笑） ⑫神戸牛（食材ではないです） ⑬冷蔵庫にいちご、冷凍庫にいちごアイス⑭いぬとねことうさぎ！ ⑮あまい香りと、すっきりする香り ⑯ひみつ〜 ⑰バファローズを一生懸命おうえんすることと、SNS をがんばって、ちょくせつ会えないお友だちともつながる機会をふやしたい！

VOICE NAVIGATOR & UTAERU REPORTER

オリックス・バファローズ主催試合でアナウンスを担当する“ボイス・ナビゲーター”の神戸佑輔さんと、“うたえるリポーター”略して“うたリポ”の田畑実和さんが、今シーズンも球場内外を盛り上げます!

【Q&Aの見方】
①ココを見てくれ! ②こう呼んでくれ! ③休日のルーティンは? ④最近のプチ悩みは? ⑤癒し! ⑥ちょっとした自慢! ⑦ラッキーカラー! ⑧お気に入りミュージシャン! ⑨家にある女子力が一番高いものは? ⑩最近スマホで撮影したお気に入りの写真は? ⑪ちょっとした贅沢! ⑫自分を動物に例えると! ⑬冷蔵庫に入っていないと困るものは? ⑭最近のお気に入りの動画ジャンルは? ⑮お気に入りの香りは? ⑯カラオケの十八番は? ⑰今シーズンの目標・公約はコレだ!

ボイス・ナビゲータ

神戸 佑輔
KANBE YUSUKE

いつもオリックス・バファローズの応援ありがとうございます。昨年は皆さんの応援のおかげで念願のリーグ優勝をすることができ、その瞬間に携わらせていただけたことが、僕自身にとってかけがえのない素晴らしい経験になりました。いつもアナブースから見える皆さまの応援する姿にどんな時も元気をいただいており感謝するばかりです。今年こそ悲願の日本一の瞬間を皆さまと分かち合えるよう、また一から自分にできることを頑張ってまいりますのでよろしくお願いします。2022年も一緒にオリックスの応援を頑張りましょう!

Q & A

①低音 ②かんべ ③ 15000 歩以上歩く ④パソコンが上手く使えません…… ⑤ケルト音楽⑥視力が 2.0 あります ⑦赤 ⑧ケイ グラントさん ⑨ひざ掛けブランケット ⑩田畑実和とトリックアート ⑪自動販売機で定価で飲料を買うこと ⑫亀 ⑬炭酸水 ⑭阪急電鉄の公式チャンネル ⑮石鹸 ⑯尾崎紀世彦 ⑰アナウンスが選手の後押しになれるように、応援に来られた方の思い出の一片になれるように頑張ります。

うたリポ

田畑 実和
TABATA MIWA

いつも温かい応援をありがとうございます。皆さまと一緒にバファローズを応援できることがとても幸せです。少しでもチームのパワーになれるように頑張ります。チームの勝利を願って、みんなで盛り上げていきましょう。今年もよろしくお願いいたします!

Q & A

①笑顔 ②みわ ③ネイルをする ④寝相が悪い ⑤ディズニー作品を見る ⑥実は CD を出しています ⑦ピンク ⑧ Saucy Dog ⑨ピンクのエアプランツ ⑩カヌレの写真 ⑪寝る前のコーヒーとお菓子 ⑫パンダ ⑬アイスクリーム ⑭ディズニー ⑮ホワイトムスク ⑯『Everything』MISIA ⑰ 笑顔でみんなが楽しくなれるようなリポートを心掛けます!

BsG
Bs Girls

Member List 2022

オリックス・バファローズをファンのみなさまとともに盛り上げる球団公式ダンス＆ヴォーカルユニット『BsGirls』。4代目リーダーにNATSU、サブリーダーにREINAが就任。さらに新メンバーとしてヴォーカルのIRI（アイリ）、中国語が堪能なKOTONE、韓国語が堪能なYUKARI、ビールの売り子経験を持つHIYORIの計4名が加わりました。今シーズンもBsGirlsから目が離せない！

【Q&Aの見方】
❶私のココを見てくれ！ ❷私をこう呼んでくれ ！❸私の休日のルーティンは？ ❹私の最近のプチ悩みは？ ❺私の癒し！❻私のちょっとした自慢！ ❼私のラッキーカラー！ ❽私のお気に入りミュージシャン！ ❾私の家にある女子力が一番高いものは？❿私の最近スマホで撮影したお気に入りの写真は？ ⓫私のちょっとした贅沢！⓬私を動物に例えると！ ⓭私の冷蔵庫に入っていないと困るものは？⓮私の最近のお気に入りの動画ジャンルは？ ⓯私のお気に入りの香りは？ ⓰私のカラオケの十八番は？ ⓱私の今シーズンの目標・公約はコレだ！

4月15日㊎
Release!

UNSTOPPABLE

ミニアルバム
「UNSTOPPABLE」
CD+DVD／3,500円（税込）

#337 Performer

MIYU

B型／7年目

❶笑った時のタレ目……(笑)
❷MIYU！ MIYUぱん！ ぱんだ！
❸写真を撮りに行く♪
❹朝起きた時の寝癖がひどい……(笑)
❺おいしいものを食べること♪
❻人と関わることが大好きなので、誰とでも仲良くなれる♪
❼水色！
❽Nissy、清水翔太
❾パンダのぬいぐるみ
❿メンバーとの写真♪
⓫マッサージ♪
⓬パンダ！
⓭マヨネーズ！ ジュース！ キムチ！
⓮ブルーピリオド(アニメ)とBsGirls Channel！
⓯柔軟剤の香り♪
⓰『M』プリンセス プリンセス
⓱オリックス・バファローズを日本一へ導けるようなパフォーマンス！ そして、後輩のみんなをサポートしながら、自分も初心を忘れずに活動していく！ そしてそして、目指せSNSフォロワー1万人！

ファンへのメッセージ

ファンの皆さま！ いつもオリックス・バファローズ、そしてBsGirlsへのご声援、ありがとうございます！ 今シーズンも最高のシーズンになるよう、私たちBsGirlsもオリックス・バファローズを全力パフォーマンスで盛り上げていきます！ 今シーズンもよろしくお願いします！

#355 Vocal

INA

A型／4年目

❶3歳からバレエ、ピアノ、日本舞踊など10種類以上のお稽古をしてきたこと
❷いなてん
❸目覚ましをセットせずに寝る
❹口下手
❺映画を観ながら半身浴
❻いつも運が良い。肩の骨が永遠に鳴る
❼シルバー、紫
❽THE RAMPAGE from EXILE TRIBE
❾日本舞踊で着ていた着物
❿家族
⓫エステ
⓬ハイエナ
⓭だし醤油
⓮美容系
⓯柔軟剤の香り
⓰『ENDLESS STORY』伊藤由奈
⓱悔いのないシーズンにする

ファンへのメッセージ

いつも温かいご声援ありがとうございます。今年も皆さまと大好きなオリックス・バファローズの応援ができて幸せです。
今シーズンもよろしくお願いいたします。

#358 Performer / Leader

NATSU

A型／4年目

❶パフォーマンス
❷ナツ、なっちゃん、コツメ
❸MARVEL作品一気見すること！ 携帯ゲームでコンビニを製作中です（笑）
❹壁や扉に足と手をぶつけること
❺友達と遊ぶこと！ドライブ！
❻産まれた時から歯が生えていた！
❼黒色
❽K-POP!! 特にBIG BANGのSOLがだいすきです！
❾ルームフレグランスとスチーマー
❿LIVEのリハーサル中に撮ったメンバーの写真
⓫アラームを掛けないで好きなだけ寝ること！
⓬コツメカワウソ
⓭コーヒーと炭酸水
⓮アーティストさんのpractice動画
⓯ホワイトムスクの香り
⓰迷い中……みんなが知ってる曲を歌います！
⓱笑う門には福来る！ 全力で楽しんでパフォーマンスしたいです！

ファンへのメッセージ

ファンの皆さまは私の宝物です！いつもありがとう！

#360 Performer / Sub Leader

REINA

A型／4年目

❶5歳から習っているダンスと笑顔！
❷REINA、れいちゃん、れいぴょん
❸お部屋の片付け
❹よく噛むこと（笑）
❺小さい子の動画を見ること
❻ダンスを5歳から1度も辞めず続けていること
❼ピンク
❽AAA、Nissy、平井大
❾ディフューザー
❿お友だちにもらった花束の写真
⓫デパコスを買うこと
⓬犬
⓭お水！
⓮お笑い
⓯ローズティー、アプリコット
⓰BsGirls
⓱オリックス・バファローズを優勝へ導き、ファンの皆さまと最高の景色を見ること！

ファンへのメッセージ

昨シーズン、たくさんのご声援ありがとうございました。2022シーズンもまた優勝目指して、笑顔溢れる素敵な1年にしましょう！ 大好きな皆さま。今シーズンもよろしくお願いいたします!!

#362 Vocal

NUI

A型／3年目

❶チャームポイントはホクロ
❷NUI、ぬー、ぬーちゃん
❸KAZANEとサウナ
❹愛犬コジローの噛み癖が直らない……
❺愛犬コジロー、半身浴
❻どこでもすぐ寝れる
❼オレンジ！
❽BsGirls
❾美顔器
❿焼肉を食べに行った時のお肉の写真（笑）
⓫ちょっと良いお肉食べる！
⓬絶対犬！
⓭ドレッシング
⓮メイク動画、大食い
⓯シャンプーの匂い
⓰『大阪LOVER』DREAMS COME TRUE
⓱オリックス・バファローズを後押しできるようなパフォーマンスを目指して、自身のスキルアップはもちろん、球場を笑顔で盛り上げていきたいです!!

ファンへのメッセージ

ファンの皆さま、いつも熱いご声援ありがとうございます！ 今シーズン最高の景色を目指して、一緒にオリックス・バファローズを盛り上げていきましょう!! 今シーズンもよろしくお願いします！

#366 Vocal

KAZANE

A型／2年目

❶今年から前髪つくってみました♡
❷ざね
❸NUIとサウナ
❹寝ても寝ても眠たい
❺美味しい物を食べること
❻髪の毛が伸びるのが早い
❼ピンク♡
❽倖田來未
❾ハートのベッド♡
❿美味しいご飯の写真
⓫ちょっと良いパックをする
⓬カマキリ
⓭牛乳
⓮美容系YouTube
⓯紅茶の香り
⓰『メリクリ』BoA
⓱2022年は昨年よりもっと成長した姿を、皆さまに見てもらえるように頑張ります!!

ファンへのメッセージ

いつも温かいメッセージ、本当にありがとうございます！ 2022年もたくさんステキな思い出つくりましょう♡

#367 Performer

YUI

O型／2年目

❶脚!!
❷YUI、いーさん
❸岩盤浴に行く！
❹傷やアザをすぐつくること
❺お風呂に何時間も浸かること！
❻好きな食べ物は毎日ずーっと食べ続けられる
❼濃い紫！ ラメ！！ ネオン！！！
❽安室奈美恵
❾香水コレクション
❿お友だちとの2ショット
⓫出前をとる！
⓬犬
⓭チョコレート
⓮メイク動画
⓯ホワイトリリーの香り
⓰『愛のうた』倖田來未
⓱昨年以上に感謝と愛に溢れた1年に！全ての時間を噛み締める！

ファンへのメッセージ

いつもたくさんの応援、愛を与えて下さり本当にありがとうございます。昨年は何もわからず必死に過ごすシーズンで逆に皆さまからたくさんの愛と元気を頂き勇気づけられました。2年目は、全ての時間をゆっくり噛み締めながら、皆さまにたくさんの愛と元気を与えていけるように過ごすことを目標に頑張って参ります！ 今シーズンもよろしくお願いいたします。

#368 Performer

MIKU

2年目

❶熱々全力パフォーマンス！
❷MIKU MIKURIN
❸ウォーキング
❹冷え性
❺自然豊かな景色
❻お鍋でご飯が炊けること
❼黄色
❽NiziU、JO1
❾パックのコレクション
❿同期メンバーとのオフショット
⓫大好きなスイカを食べること！
⓬うさぎ
⓭納豆！！！
⓮大食い動画、筋トレ動画
⓯金木犀
⓰『チェリー』スピッツ
⓱この子から目が離せないと思ってもらえるようなパフォーマンスをする!!

ファンへのメッセージ

いつもオリックス・バファローズ、BsGirlsへの温かい応援ありがとうございます。皆さまの笑顔や優しいメッセージにたくさん元気を頂いていて、それがMIKUの笑顔の源です！ 今シーズンこそ日本一獲りましょう!! 今シーズンもよろしくお願いします。

#369 Performer

SENA

O型／2年目

❶全力笑顔
❷SENA せなるん
❸たっくさん寝る！
❹まつ毛が伸びないこと
❺最近生まれたいとこの子ども♡
❻集中したら意外と器用
❼ピンク
❽フェアリーズ
❾妹にもらったいい匂いのボディークリーム
❿メンバーとの写真
⓫月イチ焼肉！（実際はもっと行ったりします……）
⓬コアラ（のんびりしているので（笑））
⓭アイス
⓮BsGirls Channel おもしろくてよく見返します♡
⓯シャンプーの香り
⓰back number
⓱後輩ができるので先輩らしく、もっと成長していきたいです！

ファンへのメッセージ

いつも温かい応援メッセージ、ありがとうございます！ まだまだたくさんのSENAスマイルをお届けするので、今シーズンもよろしくお願いします!!

#370 Performer

MAHO

O型／2年目

❶右えくぼ
❷MAHO、まほち、ベイビー
❸家中の掃除
❹寒くてすぐ鼻赤くなる
❺お風呂
❻土地勘がある
❼白、紫
❽EXILE
❾香水のコレクションコーナー
❿家族写真
⓫コンビニの新作スイーツ
⓬コアラ
⓭アイス
⓮韓国料理の大食い動画
⓯洗濯したてのお布団
⓰『愛すべき未来へ』EXILE
⓱パフォーマンスを見て頂いた全ての方に元気を与えられるよう全力で踊ること！

ファンへのメッセージ

いつも温かいご声援をありがとうございます！ 新メンバーとして皆さまから頂いたパワーを糧に、今年1年さらにパワーアップした姿を見ていただけたらと思います！ 今シーズンもよろしくお願いします♪

#371 Vocal

IRI

A型／1年目

❶1回お会いしたら忘れないこと♪
❷ニックネーム無いので何か決めてください♪(笑)
❸二度寝してからお友だちとお出掛け♪
❹まつ毛のパラつき、首が痛い
❺好きな音楽を爆音で聞くこと♪
❻回転寿司で10皿以上は食べれること……(笑)
❼好きなカラーはWHITE、BLACK、PINK
❽2NE1、EXILE、安室奈美恵、BoA
❾化粧品、香水コーナー
❿お友だちと一緒に撮った写真です♪
⓫ポテトチップスのしあわせバターを食べること
⓬リスって周りに言われます(笑)
⓭柚子胡椒
⓮ドッキリ企画、大食い企画、ラップバトル
⓯Savon、Whitemusk
⓰『Time goes by』Every Little Thing
⓱今よりもっとたくさんの方にBsGirlsを知って頂いて応援して頂けるようなヴォーカルを努めていきたいと思います

ファンへのメッセージ

背番号371 新メンバー IRI(アイリ)です！ 今シーズンもオリックス・バファローズをさらに盛り上げれるよう、精一杯パフォーマンスいたしますので、皆さま一緒に盛り上がっていきましょう♪ BsGirls・IRIの応援よろしくお願いいたします♪

#372 Performer

KOTONE

AB型／1年目

❶高身長
❷こと、こっちゃん
❸溜まっているお笑い番組を観る
❹乾燥で小鼻が痒い
❺愛犬
❻幼少期からカラスの鳴き真似ができる
❼緑
❽NEWS、Creepy Nuts
❾スチーマー
❿愛犬が爽快に走っている姿
⓫ラーメン屋さんで餃子と丼も頼む
⓬キツネ
⓭ポン酢、キムチ
⓮東海オンエア
⓯ホワイトリリー
⓰『高嶺の花子さん』back number
⓱笑顔を絶やさず全力でパフォーマンスさせていただきます！

ファンへのメッセージ

今シーズン新メンバーとして何事にも精一杯取り組んでいきたいと思います！ よろしくお願いいたします！

#373 Performer

HIYORI

AB型／1年目

❶もちもちのほっぺ
❷ひよりん
❸ひたすら寝る
❹顔が丸いこと
❺実家の猫
❻Y字バランス
❼ピンク
❽山下智久
❾ヘアミスト
❿美味しかったご飯の写真
⓫納豆2パック使用納豆ご飯
⓬リス
⓭一味
⓮大食い
⓯フローラル系
⓰『泣きたいくらい』大原櫻子
⓱BsGirlsのHIYORIを沢山の人に知ってもらう事！

ファンへのメッセージ

皆さまとともにオリックス・バファローズとBsGirlsを盛り上げていきたいので応援よろしくお願いします!!

#374 Performer

YUKARI

AB型／1年目

❶笑顔
❷ゆかりん、ゆかぽん
❸映画、ドラマ鑑賞
❹つまずきがち
❺ペットのワンちゃん
❻フラフープをずっと回せる
❼黄色、オレンジ
❽ちゃんみな
❾アロマキャンドル
❿電車から撮った雪景色
⓫コンビニでお高めのスイーツを買う
⓬アライグマ
⓭たまご
⓮モッパン
⓯フローラルな香り
⓰『オリビアを聴きながら』杏里
⓱笑顔で全力パフォーマンスして球場を盛り上げます！

ファンへのメッセージ

新メンバーのYUKARIです。皆さまと一緒に今シーズン盛り上げていけるよう、全力で頑張ります！ よろしくお願いします。

GAME SCHEDULE

一軍公式戦日程

新型コロナウイルス感染状況により、試合日程・試合開始時間等が変更になる場合があります。最新情報は球団ホームページでご確認ください。

3・4月 MARCH & APRIL

月	火	水	木	金	土	日
3/21	22	23	24 2022シーズン開幕▶▶▶▶	25 18:00	26 vs.埼玉西武 ベルーナ 14:00	27 14:00
28	29 18:00	30 vs.東北楽天 京セラD大阪 18:00	31 18:00	4/1 18:00	2 vs.北海道日本ハム 京セラD大阪 14:00	3 13:00
4	5 18:00	6 vs.福岡ソフトバンク PayPay 18:00	7 18:00	8 18:00	9 vs.千葉ロッテ ZOZO 14:00	10 14:00
11	12 18:00	13 vs.東北楽天 楽天生命 18:00	14 18:00	15 18:00	16 vs.埼玉西武 京セラD大阪 14:00	17 U 13:00
18	19 18:00	20 vs.福岡ソフトバンク 京セラD大阪 18:00	21 18:00	22 18:00	23 vs.千葉ロッテ 京セラD大阪 14:00	24 U 13:00
25	26 18:00	27 vs.北海道日本ハム 東京D 18:00	28 18:00	29 vs.埼玉西武 京セラD大阪 18:00	30 14:00	

5月 MAY

月	火	水	木	金	土	日
						1 vs.埼玉西武 京セラD大阪 13:00
2	3 14:00	4 vs.福岡ソフトバンク PayPay 13:00	5 13:00	6 18:00	7 vs.東北楽天 京セラD大阪 14:00	8 U 14:00
9	10 18:00	11 vs.北海道日本ハム 札幌D 18:00	12	13 18:00	14 vs.千葉ロッテ 京セラD大阪 14:00	15 U 13:00
16	17 ★ vs.北海道日本ハム ほっと神戸 18:00	18 ★ U 18:00	19	20 18:00	21 vs.東北楽天 楽天生命 14:00	22 13:00
23 日本生命 セ・パ交流戦▶▶▶▶	24 18:00	25 vs.巨人 東京D 18:00	26 18:00	27 18:00	28 vs.中日 京セラD大阪 14:00	29 13:00

5・6月 MAY & JUNE

月	火	水	木	金	土	日
5/30	31 18:00	6/1 vs.DeNA 横浜 18:00	2 18:00	3 18:00	4 vs.広島 マツダ 14:00	5 13:30
6	7 18:00	8 vs.東京ヤクルト 京セラD大阪 18:00	9 U 18:00	10 18:00	11 vs.阪神 京セラD大阪 18:00	12 U 14:00
13	14	15	16	17 18:00	18 vs.埼玉西武 ベルーナ 14:00	19 13:00
20	21 vs.福岡ソフトバンク 京セラD大阪 18:00	22 18:00	23	24 18:00	25 vs.千葉ロッテ ZOZO 14:00	26 14:00
27	28 ★ vs.東北楽天 ほっと神戸 18:00	29 ★ 18:00	30			

7月 JULY

月	火	水	木	金	土	日
				1 18:00	2 vs.北海道日本ハム 札幌D 14:00	3 14:00
4	5 U 18:00	6 vs.埼玉西武 京セラD大阪 18:00	7 18:00	8 vs.千葉ロッテ 京セラD大阪 18:00	9 ★ U vs.千葉ロッテ ほっと神戸 18:00	10 ★ 16:00
11	12 18:00	13 vs.福岡ソフトバンク PayPay 18:00	14 18:00	15	16 vs.東北楽天 楽天生命 14:00	17 13:00
18 vs.東北楽天 楽天生命 14:00	19 18:00	20 vs.北海道日本ハム 京セラD大阪 18:00	21 U 18:00	22 18:00	23 vs.福岡ソフトバンク 京セラD大阪 18:00	24 U 13:00
25	26 オールスター PayPay	27 松山	28 オールスター （予備日）	29 18:00	30 vs.千葉ロッテ ZOZO 17:00	31 17:00

8月 AUGUST

月	火	水	木	金	土	日
1	2 18:00	3 vs.埼玉西武 ベルーナ 18:00	4 18:00	5 18:00	6 vs.北海道日本ハム 京セラD大阪 14:00	7 13:00
8	9 18:00	10 vs.東北楽天 京セラD大阪 18:00	11 14:00	12 18:00	13 vs.福岡ソフトバンク PayPay 14:00	14 13:00
15	16 ★ vs.千葉ロッテ ほっと神戸 18:00	17 ★ 18:00	18 vs.千葉ロッテ ほっと神戸	19 18:00	20 vs.埼玉西武 ベルーナ 17:00	21 17:00
22	23 vs.北海道日本ハム 釧路 13:00	24 vs.北海道日本ハム 帯広 13:00	25	26 18:00	27 vs.埼玉西武 京セラD大阪 14:00	28 13:00
29	30 vs.東北楽天 楽天生命 18:00	31 18:00				

9月 SEPTEMBER

月	火	水	木	金	土	日
			1 vs.東北楽天 楽天生命 18:00	2 18:00	3 vs.千葉ロッテ ZOZO 17:00	4 17:00
5	6 vs.北海道日本ハム 札幌D 18:00	7 18:00	8 vs.埼玉西武 ベルーナ 18:00	9	10 vs.福岡ソフトバンク 京セラD大阪 18:00	11 U 14:00
12	13 U vs.東北楽天 京セラD大阪 18:00	14	15 vs.北海道日本ハム 京セラD大阪 18:00	16 18:00	17 vs.福岡ソフトバンク 京セラD大阪 18:00	18 U 14:00
19 vs.福岡ソフトバンク 京セラD大阪 13:00	20 vs.千葉ロッテ ZOZO 18:00	21	22 vs.千葉ロッテ 京セラD大阪 18:00	23	24 vs.東北楽天 楽天生命 14:00	25
26	27	28	29	30		

10月 OCTOBER

月	火	水	木	金	土	日
					1	2
3	4	5	6	7	8 クライマックスシリーズ ファーストステージ 第1戦	9 第2戦
10 第3戦	11	12 クライマックスシリーズ ファイナルステージ 第1戦	13 第2戦	14 第3戦	15 第4戦	16 第5戦
17 第6戦	18	19	20	21	22 日本シリーズ 第1戦	23 第2戦
24	25 日本シリーズ 第3戦	26 第4戦	27 第5戦	28	29 日本シリーズ 第6戦	30 第7戦

Bs本拠地開幕シリーズ2022 supported by FWD生命

本拠地開幕6連戦!! V2を目指しシーズンスタートを切ります!

Bs春のファンまつり

BsCLUB有料会員様や、スマホ向け有料サイトBPB会員様などに感謝のお返しを!

Bsオリっこデー

ゴールデンウィークはキッズが主役に! 背ネームをニックネームにした「ニックネームユニフォーム」を選手たちが着用、ファミリーで楽しめるイベントをご用意いたします♪

Bs選手会プロデュースデー

バファローズの選手たちが皆さまをおもてなし!ファンとチーム、全員が笑顔になれるイベントを選手が企画します!

Bsオリ姫デー2022

恒例のオリ姫デー、今シーズンも開催決定!オリ姫にうれしいイベントは、ただいま企画中です♪

Bs大花火大会

人気の花火ナイトがスケールアップした大花火! 試合終了後に大迫力2,000発の花火が打ち上がります!

Bs夏の陣2022

バファローズ恒例の夏のビッグイベント! 今シーズンは8月全11試合で開催です! どんな限定ユニフォームを着用するのか?! お楽しみに!

- ホームゲーム(京セラドーム大阪)
- ホームゲーム(ほっと神戸)
- セ・パ交流戦

U サードユニフォームデー
選手たちもファンもひとつになって、サードの"強い絆 New Strong Bond"ストライプユニフォームを着用して、一緒に戦おう!

★ 花火ナイト
ほっと神戸の大人気イベント!神戸開催の全8試合で大迫力の花火が舞い上がります!
※状況により変更になる場合がございます。

※日程及び時刻、イベント等は変更される場合がございます。
ホームページ、モバイルサイト、新聞等でご確認ください。

HOME STADIUM ホームスタジアム

京セラドーム大阪

大阪府大阪市西区千代崎3-中2-1
55,000人収容(プロ野球開催時最大席数36,220席)
両翼100m・中堅122m

電車を利用される方▼

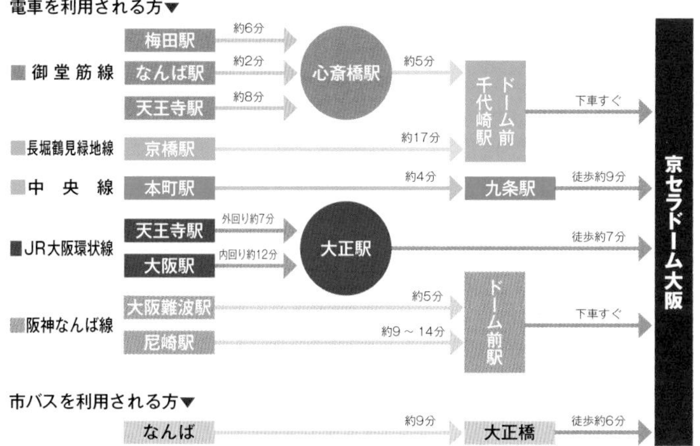

ほっともっとフィールド神戸

兵庫県神戸市須磨区緑台3251-10(神戸総合運動公園内)
35,000人収容
両翼99.1m・中堅122m

電車を利用される方▼

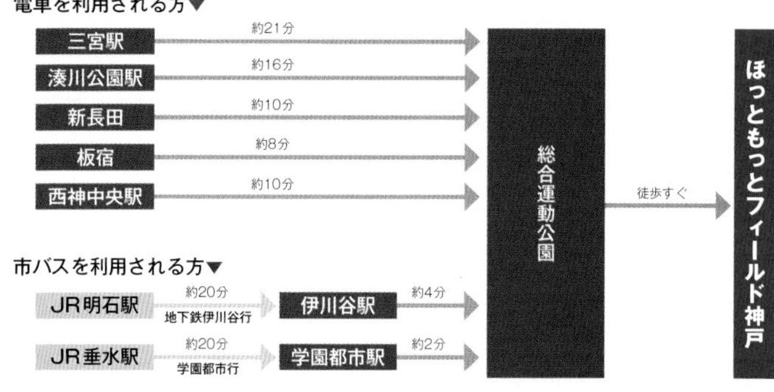

TICKET GUIDE&INFORMATION
チケット案内・購入方法

2022年公式戦チケット

京セラドーム大阪座席エリア

①大商大シートS
②大商大シートA
③大商大シートB
⑳エクセレント指定席※(飲食付)
㉑エキサイト指定席※(飲食付)
④ネット裏特別指定席（飲食付）
⑤ビュー指定席
⑥ライブ指定席
⑦S指定席
⑧ダイナミック指定席
⑨A指定席
⑩B指定席
⑪バリュー指定席
⑫上段中央指定席
⑬上段C指定席
⑭下段外野指定席
⑮ビジター下段外野指定席
⑯上段外野指定席

外野レストラン席
⑰レストランアサヒ
⑱杵屋
⑲スターダイナー
㉒ライトホームランデッキ※
㉓レフトホームランデッキ※
㉔クラブスタジアム※

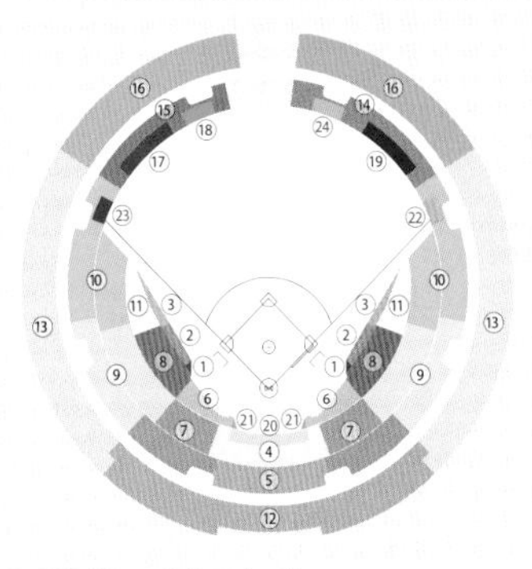

※⑳～㉔はシーズンシート対象外試合（7月5日予定）のみ販売予定です
※この座席エリアは概要図ですので、実際の位置関係と異なる場合があります

ほっともっとフィールド神戸座席エリア

⑭エクセレントボックス（ペア）
⑮スーパーエグゼクティブ指定席
①フィールド指定席
②ネット裏指定席
③ライブ指定席
④A指定席
⑤B指定席
⑥ブルペンシート
⑦2階バルコニー指定席
⑧2階C指定席
⑨外野指定席
⑩ビジター外野指定席
⑪プレモル・ファミリーゾーン
⑫KOBEダイナー
⑬SKYダイナー

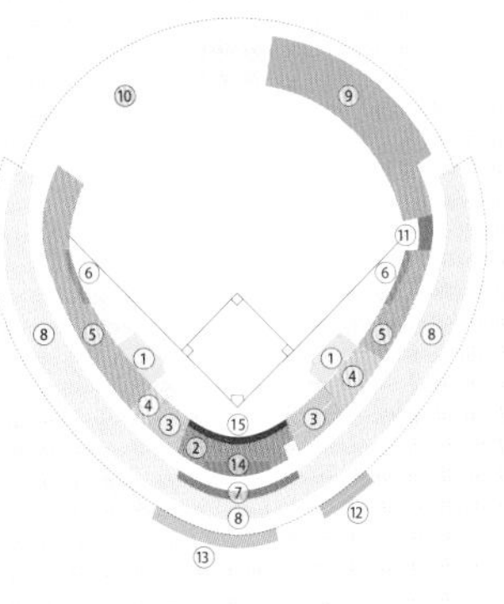

※この座席エリアは概要図ですので、実際の位置関係と異なる場合があります

チケットは、全席種・全日程がダイナミックプライシング（価格変動制）での販売となります。最新価格は球団公式チケットサイト「オリチケ」にてご確認の上、お買い求めください。 ※新型コロナウイルス感染対策や注意事項等については球団公式ホームページにてご確認ください。

チケットの購入は、バファローズ公式チケットサイト「オリチケ」が簡単便利!

2022年より「オリチケ」では、バファローズ1軍主催試合のチケットご購入やアドバンスチケット等のご予約時に、BsCLUB（有料会員もしくは無料会員）へのご登録が必要となります。（※有料会員はBsわんにゃんクラブ除く）

BsCLUB有料会員には、充実したサービスのコースが多数!

オリックス・バファローズ公式ファンクラブ「BsCLUB」詳細については、30ページをご覧ください。
※BsCLUB有料会員には球団公式ホームページ・球団直営店・球場特設受付でご入会いただけます!

BsCLUB無料会員には、入会費や会員費は無料で登録できる!

※無料会員はインターネット申し込みのみとなります。「オリックス・バファローズ公式アプリ」をインストールできない場合は無料会員のアプリ会員証およびアプリ会員証を提示してご利用できるサービスをご利用できませんのでご了承ください。
※BsCLUB有料会員のチケット割引や先行販売等のサービスはございません。
※BsCLUB無料会員についての詳細は球団公式ホームページにてご確認ください。

簡単!
スムーズ!
ラクラク入場!

オリチケ
ラクラク入場チケットサービス
デジタルチケット（QRコード）
チケット窓口に並んでチケットを受け取る必要がありません!

「オリチケ」でチケットを購入すると、ご入場時にQRコードをかざすだけで入場可能な「デジタルチケット（QRコード）」が選択可能です。事前に球場窓口やチケダス等で紙チケットへの引換が不用、お手持ちのスマートフォン等でQRコードをかざすだけで入場できて便利です!

オリチケ

いますぐ簡単便利にチケット購入できる!
ご利用にあたっては
BsCLUB会員登録（有料・無料）が必要です。

前売チケット販売期間
デーゲームは試合当日 9:00まで
ナイトゲームは試合当日 14:00まで

一軍の舞台を目指し、
ファームで日々鍛練を続ける選手たち。
今シーズンも練習に励み続ける
選手たちを応援しましょう!

KOBAYASHI HIROSHI

小林 宏 二軍監督

チームの将来を担い
一軍の下支えを託された組織。
戦力強化の根幹を支える
“もうひとつ”のオリックス・バファローズ

一軍への戦力供給という極めて重いミッションを背負うファーム組織の現場を束ねるのは、かつて中嶋聡監督とバッテリーを組んでいた小林宏二軍監督。ファームの指揮官として2年目のシーズンを前にして、“チーム舞洲”の今と、進むべき進路を熱く語ってくれた。

取材・文●**大前一樹**

ファームが持つ多様性が生む難しさ

——昨季は二軍監督として、チームの育成部門を任されましたが、その成果についての手応えはいかがですか？

全体に目を配るという点で、投手コーチ時代とは全く違って、大変な部分もありました。概ね、若い選手をプランにのっとって起用できた点は、育成という観点で順調な面もありましたが、まだまだですね。

——ひと口に「育成プラン」といっても、その成長の速度や課題も選手ごとに違ってきますね。

その通りです。例えば、新人として入ってくる選手は高校を卒業したばかりの選手もいれば、大卒、社会人出身など、それぞれのスタートラインが違いますよね。なので、同じ1年目を過ごすにしても、デビューに向けて費やす準備期間も違ってきます。さらに、打者なら試合数や打席数、投手であれば球数やイニング数を、それぞれの選手ごとに設定していきます。ただ、そんなカリキュラムも、その時点での選手それぞれの完成度によって変わってくるわけです。みんなが一緒にスタートするわけでもなければ、目指すゴールも選手それぞれ。そこがファームの難しさですね。選手の力量や育成の方針から、ある程度の優先順位もないわけではないですし……。

——ファーム組織の難しさでいえば、そこに籍を置くメンバーが、発展途上の若手選手ばかりではないという点も……。

そこですね。調子を落として一軍から外れた選手や、故障からの復活を目指すリハビリ組などもいるので、単に若い選手だけではないということ。それぞれ違う立場の選手を試合に起用しないといけないわけです。今や、ファームも大所帯になりましたから、選手たちの起用法にも頭を使いますね（笑）。

——確かに、育成契約の選手も含めて選手の数が多いですね。

ある程度、試合に出られる選手にも限りがあるので、そこでどう上手く選手を起用していこ

Buffaloes

うか。そこに僕の葛藤もありましたし、僕の課題でもありますね。

重要となる一軍との連携

——キャンプも含めて一軍との連携も密だと感じました。

まぁ、そこは普通じゃないですか（笑）。シーズンに入っても変わらず、定期的に一軍とは連絡をとりながら、諸々の意見や情報の交換はしています。

——中嶋聡監督とは現役時代にはバッテリーを組むなど、気心は知れていますね。

そうですね、僕の話もよく聞いてくれますし（笑）。言いやすいってことはありますね。その点でコミュニケーションに不自由さは感じません。

——チームとしての育成の方針や優先順位も当然、ファームにはミッションとして下りてくるわけですね。

はい。チームとしての育成のルールも含めて、ハッキリしています。（福良淳一）GMを中心に決められた、チームが向かうべき方向に、ファームも沿っていくということです。

——その点でいうと、ここ数年は毎年、ファームから一軍で活躍する選手を輩出していますね。

結果的にはそうなっています。チームの方針として、それぞれのカリキュラムに順じてファームで経験を積ませた選手が、一軍の戦力となり得るケースが出ています。ただ、選手の成長というものは、我々が思い描いた通りにはいきません。そこが難しいところですよね。昨季は宮城（大弥）や紅林（弘太郎）といった高卒2年目の選手が一軍の戦力になりましたし、ラオウ（杉本裕太郎）のように、長い下積みを経ての大ブレイクもあるわけで……。なかなか計算通りにはいきませんね。その部分での、育成方針の転換や変更も出てきますから、球団としての考えを一軍と共有しなければなりません。

次なるヒーローの出現は!?

——さて、2022年のファームですが……。

昨シーズンは勝てませんでしたね（苦笑）。単に力不足という現実も含めて、その要因はいくつかあるのですが……。まずは守備力。昨年は守備率がウエスタン・リーグでワーストでした。走塁面でもそう。投手のミスもある。そんな課題は少なくないのですが、昨年もミスから学んだこともたくさんあるわけで、そこからの成長に期待しています。

——まずは投手陣についてお聞きしますが、若い次代を担うべき選手も少なくないですね。

そうですね。昨年は高卒5年目の（山﨑）颯一郎が一軍で成績を残してくれましたが、今年は同じ5年目の本田（仁海）に期待したいですね。もう、一軍に近い所にきているように感じます。ルーキーの椋木（蓮）も春季キャンプ中のケガもありますが、楽しみですよ。

——2年目の山下舜平大投手も気になります。

昨年はシーズン中盤から先発ローテで起用しました。まだまだ体力的に、きっとバテるだろうな、と思いながら（笑）。ただ、確かに秋のフェニックス・リーグあたりはキツそうでしたが、しっかりと頑張ってくれて、最後につかんだ手応えを今季に生かしてほしいです。楽しみな素材、逸材ですからね。

——育成選手の中にも有望な投手がいます。

5年目の東（晃平）はファームのローテを守れる投手ですからね。ここからの成長を見せてほしいです。佐藤一磨や川瀬（堅斗）あたりも、その伸びシロに期待したいです。

——野手はいかがですか？ 野手も楽しみな選手が多いです！

昨年一軍デビューした、来田（涼斗）がどこまで伸びるか。あと同期の元（謙太）も外野転向が打撃面に良い影響を与えているようですし、育成の（平野）大和や大里（昂生）も可能性がありますよ。4年目の宜保（翔）にも一軍を狙ってほしいですね。

——春季キャンプでは。今年のルーキーが目立って、良い刺激になっていますね。

そうですね。唯一の高卒新人・池田（陵真）も楽しみですよ。まぁ、名前はいくらでも挙がってきます。ただ、ファームでも競争が激しくなってきているのは良いこと。それが大きな刺激になることで、成長を促すこともありますからね。

——先ほども名前が挙がりましたが、杉本選手の大ブレイクはファーム組織での成功例では？

本人が苦労しながらも努力し続けた結果ですから。ファームで上を目指す選手たちの励みになることは間違いない。僕ら、指導者の立場としても素直にうれしいですね。

——さて、ファームを指揮する今季の小林二軍監督のスタンスをお聞かせください。

これは何も今季だけのことではないのですが、チームのため、選手個々のために、やるべきことをやり通す。ブレずにやり続けること。選手たちが信じて迷わずに努力できる環境は、僕ら指導者の考えや行動にブレがあってはつくり出せません。そこを大切にしていきたいですね。

GAME SCHEDULE

ファーム日程

新型コロナウイルス感染状況により、試合日程・試合開始時間等が変更になる場合があります。最新情報は球団ホームページでご確認ください。

Bs主催ゲーム

- 杉本商事BS ▶杉本商事バファローズスタジアム舞洲
- シティS ▶大阪シティ信用金庫スタジアム
- 京セラD ▶京セラドーム大阪
- ほっと神戸 ▶ほっともっとフィールド神戸

地方主催ゲーム

- 佐藤スタ ▶佐藤薬品スタジアム
- 東大阪 ▶花園セントラルスタジアム
- 紀三井寺 ▶紀三井寺公園野球場
- 豊中ローズ ▶豊島公園野球場
- 富田林BS ▶富田林バファローズスタジアム
- 高槻萩谷 ▶萩谷総合公園野球場
- くら寿司堺 ▶堺市原池公園野球場

ビジターゲーム

3・4月 MARCH & APRIL

月	火	水	木	金	土	日
3/14	15	16	17 ウエスタンリーグ開幕	18 13:00	19 vs.福岡ソフトバンク タマスタ 13:00	20 13:00
21	22 13:00	23 vs.阪神 杉本商事BS 13:00	24 13:00	25 13:00	26 vs.広島 杉本商事BS 13:00	27 13:00
28	29	30	31	4/1 12:30	2 vs.阪神 鳴尾浜 12:30	3 12:30
4	5 12:30	6 vs.中日 ナゴヤ 12:30	7 12:30	8 13:00	9 vs.福岡ソフトバンク 杉本商事BS 13:00	10 13:00
11	12 12:30	13 vs.広島 由宇 12:30	14 12:30	15 杉本商事BS 13:00	16 vs.中日 佐藤スタ 13:00	17 杉本商事BS 13:00
18	19	20	21	22 12:30	23 vs.阪神 鳴尾浜 12:30	24 12:30
25	26 13:00	27 vs.中日 杉本商事BS 13:00	28 13:00	29 13:00	30 vs.広島 東大阪 13:00	

5月 MAY

月	火	水	木	金	土	日
						1 vs.広島 杉本商事BS 13:00
2	3 13:00	4 vs.巨人 ジャイアンツ 13:00	5 12:30	6 杉本商事BS 13:00	7 vs.福岡ソフトバンク 豊中ローズ 13:00	8 杉本商事BS 13:00
9	10 12:30	11 vs.中日 ナゴヤ 12:30	12 12:30	13	14 vs.東京ヤクルト 杉本商事BS 13:00	15 13:00
16	17 12:30	18 vs.広島 由宇 12:30	19 12:30	20 杉本商事BS 13:00	21 vs.阪神 くら寿司堺 13:00	22 13:00
23	24 18:00	25 vs.福岡ソフトバンク タマスタ 17:00	26 13:00	27	28	29

5・6月 MAY & JUNE

月	火	水	木	金	土	日
5/30	5/31 12:30	1 vs.広島 由宇 12:30	2 12:30	3 杉本商事BS 13:00	4 vs.福岡ソフトバンク 紀三井寺 13:00	5 杉本商事BS 13:00
6	7 12:30	8 vs.阪神 鳴尾浜 12:30	9 12:30	10 12:30	11 vs.中日 ナゴヤ 12:30	12 12:30
13	14 13:00	15 vs.広島 杉本商事BS 13:00	16 13:00	17 杉本商事BS 13:00	18 vs.阪神 13:00	19 高槻萩谷 13:00
20	21 vs.DeNA 横須賀 18:00	22 18:00	23	24 タマスタ 18:00	25 vs.福岡ソフトバンク 小郡 14:00	26 大分 13:00
27	28 13:00	29 vs.中日 杉本商事BS 13:00	30 13:00			

7月 JULY

月	火	水	木	金	土	日
				1 18:00	2 vs.阪神 甲子園 18:00	3 18:00
4	5 12:30	6 vs.中日 ナゴヤ 12:30	7 12:30	8 13:00	9 vs.広島 杉本商事BS 13:00	10 13:00
11	12	13	14	15 13:00	16 vs.福岡ソフトバンク 杉本商事BS 13:00	17 13:00
18	19 13:00	20 vs.阪神 杉本商事BS 13:00	21 13:00	22	23 フレッシュオールスター 長崎 （未定）	24 （予備日）
25	26	27	28	29 杉本商事BS 13:00	30 vs.中日 富田林BS 13:00	31 13:00

8月 AUGUST

月	火	水	木	金	土	日
1	2 vs.福岡ソフトバンク 佐賀 16:00	3 vs.福岡ソフトバンク タマスタ 17:00	4 vs.福岡ソフトバンク タマスタ 13:00	5	6	7
8	9 vs.阪神 京セラD 10:30	10 vs.阪神 杉本商事BS 13:00	11	12 vs.中日 ほっと神戸 18:00	13 MARUYAMA vs.中日 ほっと神戸 18:00	14 MARUYAMA vs.中日 ほっと神戸 18:00
15	16	17	18	19 vs.福岡ソフトバンク 18:00	20 vs.福岡ソフトバンク タマスタ 17:00	21 vs.福岡ソフトバンク 13:00
22	23 vs.阪神 杉本商事BS 13:00	24 vs.阪神 杉本商事BS 13:00	25 vs.阪神 杉本商事BS 13:00	26 vs.中日 ナゴヤ 14:00	27 vs.中日 ナゴヤ 12:30	28 vs.中日 豊橋 18:00
29	30 vs.東北楽天 森林どり泉 12:30	31 vs.東北楽天 森林どり泉 12:30				

9月 SEPTEMBER

月	火	水	木	金	土	日
			1	2 vs.福岡ソフトバンク 杉本商事BS 13:00	3 vs.福岡ソフトバンク 佐藤スタ 13:00	4 BE ATHLETE vs.福岡ソフトバンク 杉本商事BS 13:00
5	6 vs.広島 由宇 12:30	7 vs.広島 由宇 12:30	8 vs.広島 由宇 12:30	9	10 vs.阪神 安芸 12:30	11 vs.阪神 安芸 12:30
12	13 vs.中日 杉本商事BS 13:00	14 vs.中日 杉本商事BS 13:00	15 vs.中日 杉本商事BS 13:00	16 vs.広島 杉本商事BS 13:00	17 vs.広島 杉本商事BS 13:00	18 一休 vs.広島 シティS 13:00
19	20 vs.阪神 鳴尾浜 12:30	21 vs.阪神 鳴尾浜 12:30	22 vs.阪神 鳴尾浜 12:30	23 vs.中日 ナゴヤ 13:30	24 vs.中日 ナゴヤ 13:30	25 vs.中日 ナゴヤ 12:30
26	27 vs.広島 杉本商事BS 13:00	28 vs.広島 杉本商事BS 13:00	29 vs.広島 杉本商事BS 13:00	30		

ファームイベント情報

4/9土 ホテル・ロッジ舞洲デー

5/14土 赤丸食堂デー
抽選でオリジナル商品プレゼント!

8/13土 14日 丸山工務店デー
丸山工務店花火ナイト!

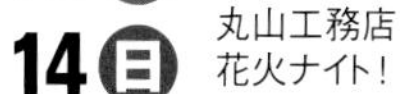

9/4日 ビ・アスリートデー
抽選でスポーツグッズをプレゼント!

9/18日 Bsファン集合! 上方温泉一休デー!
入浴招待券など抽選で素敵な商品をプレゼント!

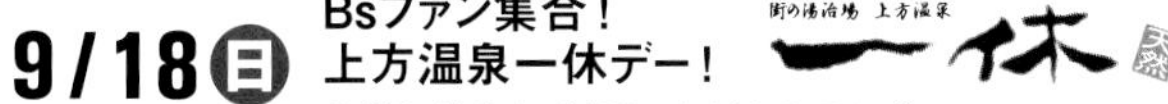

※各イベントの詳細は、球団公式HP・球団公式モバイルサイトにてご確認ください(掲載時期はイベントにより異なります)。
※各イベントの名称、開催日、内容等は変更または中止となる場合がございます。予めご了承ください。

HOME STADIUM

ホームスタジアム

杉本商事バファローズスタジアム舞洲

大阪府大阪市此花区北港緑地2-2-65

大阪シティ信用金庫スタジアム

大阪府大阪市此花区北港緑地2-3-142

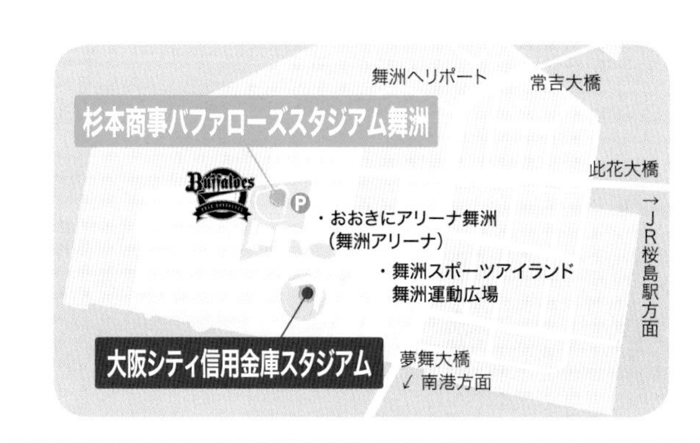

電車・バスを利用される方

- ▶JR環状線「西九条駅」下車、舞洲スポーツアイランド行(大阪シティバス81系統)で約35分
- ▶JRゆめ咲線「桜島駅」下車、舞洲アクティブバス(北港観光バス2系統)で約15分
- ▶大阪メトロ「コスモスクエア駅」下車、コスモドリームライン(北港観光バス3系統)で約20分

車を利用される方

- ▶阪神高速5号湾岸線舞洲IC出て直進、此花大橋を渡る。
- ▶国道43号線・梅香交差点を西へ直進、此花大橋を渡る。
- ▶南港(咲洲)方面からは夢咲トンネルを通過し、夢舞大橋を渡る。

入場料金

球場	券種	当日・前売
杉本商事バファローズスタジアム舞洲 大阪シティ信用金庫スタジアム	大人(高校生以上)	1,200円(税込)
	こども(小・中学生)	500円(税込)
杉本商事バファローズスタジアム舞洲 ※バックネット裏特別エリア	大人(高校生以上)	1,500円(税込)
	こども(小・中学生)	500円(税込)

●チケット販売等につきましては、球団ホームページをご確認ください。
●BsCLUB会員、モバイルサイト有料会員の割引、招待はありません。
●地方球場の入場料金については、決定次第球団HPにてご案内します。

ファームが街にやって来る!

多くの方々に、オリックス・バファローズを「自分たちのチームだ!」と実感していただくため、下記球場でもファーム公式戦を開催します。選手たちの熱戦を球場でご覧ください。皆さまのご来場、お待ちしています。

大阪府
奈良県
和歌山県

高槻市

高槻萩谷バファローズ球場※
6月18日(土)・19日(日)
13:00 vs. 

東大阪市

花園セントラルバファローズスタジアム※
4月29日(金・祝)・30日(土)
13:00 vs.

豊中市

豊中ローズバファローズ球場※
5月7日(土)
13:00 vs. SoftBank HAWKS

奈良県

佐藤薬品バファローズスタジアム※
4月16日(土)
13:00 vs. Dragons

9月3日(土)
13:00 vs. SoftBank HAWKS

堺市

くら寿司スタジアム堺
5月21日(土)・22日(日)
13:00 vs. 

和歌山県

紀三井寺公園野球場
6月4日(土)
13:00 vs. SoftBank HAWKS

富田林市

富田林バファローズスタジアム
7月30日(土)・31日(日)
13:00 vs. Dragons

※試合日だけのスタジアムニックネームです。

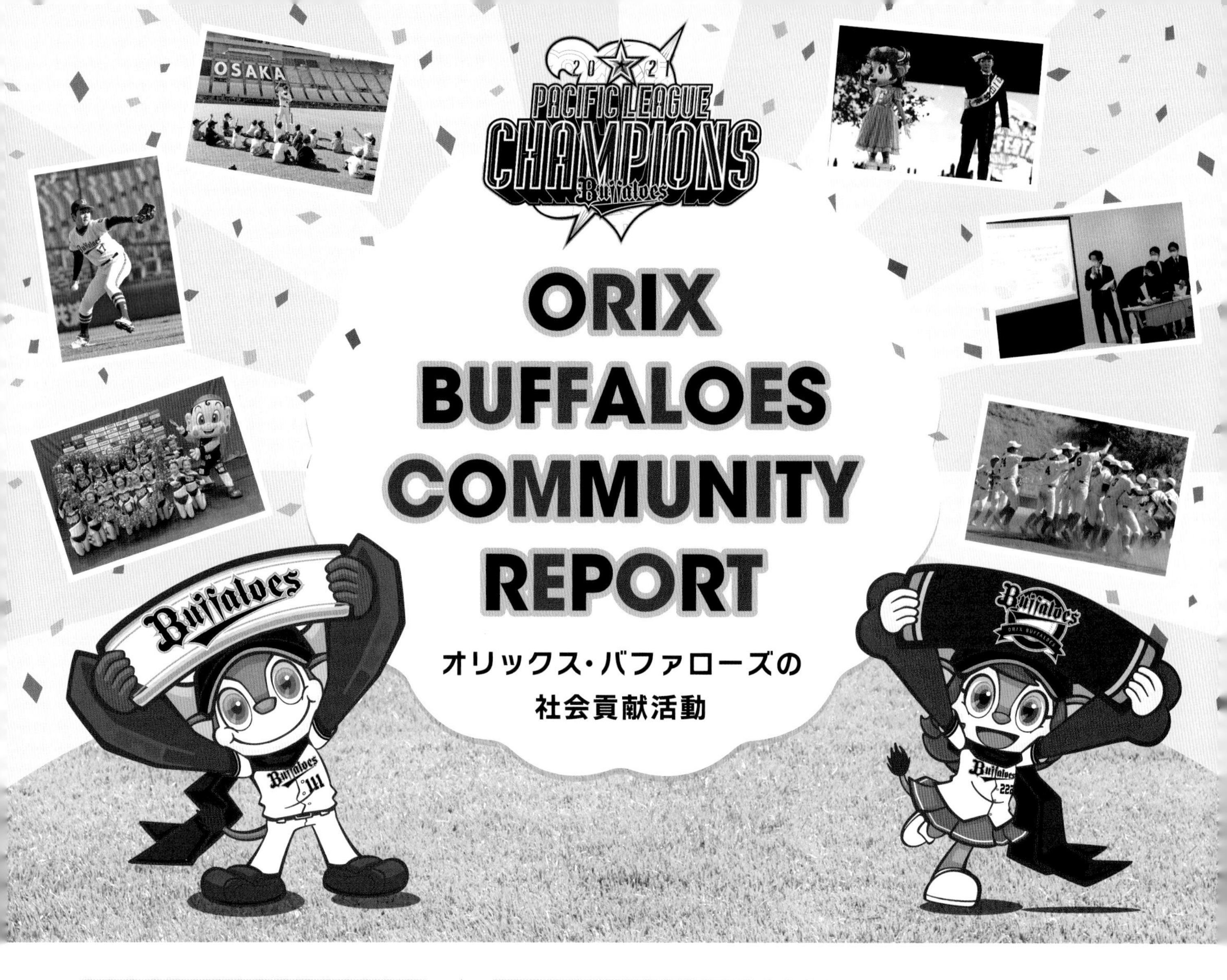

ORIX BUFFALOES COMMUNITY REPORT

オリックス・バファローズの
社会貢献活動

中学校職業講話

球団職員が大阪府内の中学校に出向き、キャリア教育の一環として「職業講話」を実施しております。野球の魅力やスポーツビジネスを通じた実体験を直接伝えることにより、仕事に対する心構えや社会の一員としての意識を高め、進路や職業について学習する場の一助となるように取り組んでいます。また体育の時間を利用して、ベースボール型授業を行い、野球の魅力を伝えています。

地域とのふれあい

バファローズのマスコット「バファローブル」と「バファローベル」、ダンス＆ヴォーカルユニット「BsGirls」が皆さまの街の様々なイベントやコミュニティ活動に参加しました。バファローズの選手たちもシーズンオフを中心に様々な活動をしています。

今後もチームを支えてくださっているファンの皆さまをはじめ、たくさんの方々と身近に「ふれあう」機会を大切にし、未来ある子どもたちには「夢」や「感動」を感じていただけるよう積極的に取り組み、皆様と共に歩む社会の形成を目指します。

球団OBコーチによる野球教室

これから野球を始めようとしている子どもたちを対象とした「親子ティーボール教室」や「少年少女野球教室」に球団OBが直接出向き、指導にあたりました。これらの活動を通じて「生涯にわたり健康な体づくり」「野球愛好者の拡大」等を目的に、野球振興事業として開催しています。

オリックス・バファローズ少年少女野球教室コーチ

23 小川博文(おがわひろふみ)
31 塩崎 真(しおざきまこと)
13 吉田直喜(よしだなおき)
35 大久保 勝信(おおくぼまさのぶ)

OBコーチ

大西 宏明(おおにし ひろあき)外野手
井戸 伸年(いど のぶとし)外野手
村上 眞一(むらかみ しんいち)内・外野手
吉川 勝成(よしかわ かつなり)投手
宮本 大輔(みやもと だいすけ)投手
岡田 幸喜(おかだ ゆきよし)捕手
藤原 清景(ふじわら きよかげ)捕手
藤本 博史(ふじもと ひろし)捕手
近澤 昌志(ちかざわ まさし)捕手
筧 裕次郎(かけい ゆうじろう)内野手
中谷 忠己(なかたに ただみ)内・外野手
平下 晃司(ひらした こうじ)外野手

少年少女野球大会

NPB12球団ジュニアトーナメント KONAMI CUP2021

この大会は2005年より一般社団法人日本野球機構とプロ野球12球団が連携し、「子どもたちが“プロ野球への夢”という目標をより身近にもてるように」という考えのもと始まりました。各球団5～6年生を対象とした「ジュニアチーム」を結成して大会に出場します。

2021年のオリックス・バファローズジュニアチームは、「KIREDAS presents第18回オリックス・バファローズCUP2021少年少女野球大会」に出場した各チームの6年生を対象にデジタルチャレンジ（動画応募による審査・選考）を実施し、ご応募いただいた選手の中から16名の選手が選ばれました。

今大会は12月28日～30日に明治神宮野球場と横浜スタジアムで開催されました。

また2021年プロ野球ドラフト会議において2位指名を受けた野口智哉選手、5位指名を受けた池田陵真選手はバファローズジュニアチーム出身で、この大会はバファローズCUP少年少女軟式野球大会に出場する選手にとって、憧れの大会になっています。

今年は炭火焼肉たむら（代表：たむらけんじ）様がバファローズジュニアチームへ、練習用ユニフォームの提供など多岐にわたりチーム運営をサポートして頂きました。

第16回 オリックス・バファローズCUP2021少年硬式野球大会

今年もリトルシニア、ボーイズリーグ、ヤングリーグから各6チーム、全18チームが参加し、トーナメント大会を開催しました。

今大会は台風の影響を受け開会式は中止となり、その後も天候に恵まれず、度重なる順延で大きく日程が変更となりましたが、主管団体様をはじめ皆様のご協力のもと、8月28日無事に決勝戦を迎えることが出来ました。結果は、共にボーイズリーグ代表の「忠岡ボーイズ」「紀州ボーイズ」にて行われ、熱戦の末「忠岡ボーイズ」が栄冠を手にしました。

KIREDAS presents
第18回 オリックス・バファローズCUP2021 少年少女軟式野球大会

今年の大会は、新型コロナウイルス感染拡大の影響で開会式は行わず、予定されていた決勝トーナメント大会も中止となりました。そこで、大阪大会、兵庫大会それぞれでトーナメント大会を行い、大阪大会制した「新家スターズ」と兵庫大会を制した「東播ナインストリーム」で、KIREDAS presents 第18回オリックス・バファローズCUP2021少年少女軟式野球大会の頂点を決める一戦を行いました。熱戦の末「新家スターズ」が頂点に立ちました。

オリックス・バファローズキッズチアダンスアカデミー

オリックス・バファローズが主催運営するキッズチアダンススクールです。「元気・笑顔・思いやり」をモットーに日々レッスンに励んでいます。
レッスンではチアダンスに必要な基礎技術に加え、応援することや踊ることの楽しさ、仲間と共に目標に向かって努力することの大切さを学びます。
バファローズの主催試合で行われる広いグラウンドでの発表会は野球選手を応援するチアチームならでは！！ぜひ、彼女たちのダンスにご注目下さい！

ORIX BUFFALOES
Spring Training
MIYAZAKI 2022
SPRING
TRAINING
SHOT

Buffaloes
BUFFALOES BASEBALL
ホテルJALシティ
オリックス
Buffaloes
19
Buffaloes
7
Buffaloes
65
Buffaloes
30
Buffaloes
66

ORIX BUFFALOES

2021 RECORD

昨シーズンの記録

■パシフィック・リーグ公式戦勝敗表

チーム	試合	勝利	敗北	引分	勝率	差	ホーム	ロード	対オリックス	対ロッテ	対楽天	対ソフトバンク	対日本ハム	対西武	交流戦
オリックス・バファローズ	143	70	55	18	.560	—	38勝22敗12分	32勝33敗6分	—	10勝10敗5分	10勝10敗5分	13勝11敗1分	10勝11敗4分	15勝8敗2分	12勝5敗1分
千葉ロッテマリーンズ	143	67	57	19	.540	2.5	33勝32敗7分	34勝25敗12分	10勝10敗5分	—	15勝9敗1分	10勝12敗3分	13勝7敗5分	11勝10敗4敗	8勝9敗1敗
東北楽天ゴールデンイーグルス	143	66	62	15	.516	5.5	31勝33敗8分	35勝29敗7分	10勝10敗5分	9勝15敗1分	—	11勝10敗4敗	12勝11敗2分	15勝8敗2分	9勝8敗1分
福岡ソフトバンクホークス	143	60	62	21	.492	8.5	31勝29敗11分	29勝33敗10分	11勝13敗1分	12勝10敗3分	10勝11敗4分	—	13勝6敗6分	9勝13敗3分	5勝9敗4分
北海道日本ハムファイターズ	143	55	68	20	.447	14.0	25勝36敗10分	30勝32敗10分	11勝10敗4分	7勝13敗5分	11勝12敗2分	6勝13敗6分	—	13勝9敗3分	7勝11敗
埼玉西武ライオンズ	143	55	70	18	.440	15.0	30勝34敗7分	25勝36敗11分	8勝15敗2分	10勝11敗4分	8勝15敗2分	13勝9敗3分	9勝13敗3分	—	7勝7敗4分

■交流戦勝敗表

チーム	試合	勝利	敗北	引分	勝率	ホーム	ロード	対ヤクルト	対阪神	対巨人	対広島	対中日	対DeNA
オリックス・バファローズ	18	12	5	1	.706	7勝1敗1分	5勝4敗	2勝1敗	2勝1敗	2勝0敗1分	3勝0敗	2勝1敗	1勝2敗
千葉ロッテマリーンズ	18	8	9	1	.471	5勝4敗	3勝5敗1分	2勝1敗	2勝1敗	1勝2敗	2勝1敗	0勝2敗1分	1勝2敗
東北楽天ゴールデンイーグルス	18	9	8	1	.529	3勝5敗1分	6勝3敗	2勝1敗	0勝3敗	1勝2敗	3勝0敗	2勝1敗	1勝1敗1分
福岡ソフトバンクホークス	18	5	9	4	.357	3勝4敗2分	2勝5敗2分	0勝3敗	2勝1敗	2勝1敗	1勝0敗2分	0勝2敗1分	0勝2敗1分
北海道日本ハムファイターズ	18	7	11	0	.389	2勝7敗	5勝4敗	1勝2敗	0勝3敗	2勝1敗	2勝1敗	1勝2敗	1勝2敗
埼玉西武ライオンズ	18	7	7	4	.500	5勝3敗1分	2勝4敗3分	1勝2敗	1勝2敗	0勝1敗2分	1勝1敗1分	2勝1敗	2勝0敗1分

■個人投手成績表 ※ー規定投球回＝143回以上

選手	試合	完投	完封	勝利	敗戦	引分	セーブ	勝率	投球回数	安打	本塁打	四球	故意四球	死球	三振	暴投	ボーク	失点	自責点	防御率
山本 由伸	26	6	4	18	5	1	0	.783	193 2/3	124	7	40	1	2	206	3	0	37	30	1.39
宮城 大弥	23	0	0	13	4	0	0	.765	147	118	9	39	1	9	131	0	0	44	41	2.51
田嶋 大樹	24	0	0	8	8	0	0	.500	143 1/3	137	10	48	1	5	135	4	1	62	57	3.58
中川 颯	1	0	0	0	0	0	0	.000	1	2	0	0	0	0	0	0	0	0	0	0.00
比嘉 幹貴	32	0	0	1	0	2	0	1.000	20 1/3	14	2	4	4	0	15	0	0	4	4	1.77
吉田 凌	18	0	0	1	1	0	0	.500	17	7	3	4	0	0	17	0	0	5	4	2.12
山田 修義	43	0	0	1	0	0	0	1.000	43 2/3	38	2	19	2	1	35	0	0	14	11	2.27
平野 佳寿	46	0	0	1	3	7	29	.250	43	30	4	9	0	0	37	1	0	11	11	2.30
ヒギンス	49	0	0	1	2	1	2	.333	46 1/3	37	3	19	0	1	36	1	0	14	13	2.53
海田 智行	16	0	0	0	1	0	0	.000	10 1/3	8	0	4	1	0	5	0	0	3	3	2.61
富山 凌雅	51	0	0	2	1	1	0	.667	46 1/3	37	2	17	0	0	34	0	0	16	14	2.72
K－鈴木	34	0	0	1	0	1	2	1.000	38 2/3	34	2	14	2	1	28	3	0	15	13	3.03
漆原 大晟	34	0	0	2	2	1	2	.500	35 2/3	30	4	14	1	1	23	1	0	13	12	3.03
山﨑 福也	22	0	0	8	10	0	0	.444	116 1/3	111	13	24	0	6	75	2	0	47	46	3.56
山﨑 颯一郎	9	0	0	2	2	0	0	.500	39	32	1	20	0	5	29	0	0	16	16	3.69
村西 良太	18	0	0	1	0	0	1	1.000	12	15	1	9	0	2	7	0	0	7	5	3.75
澤田 圭佑	14	0	0	0	0	1	0	.000	14	15	0	3	0	1	14	0	0	6	6	3.86
山岡 泰輔	12	0	0	3	4	0	0	.429	69 1/3	64	7	20	0	3	74	1	0	30	30	3.89
能見 篤史	26	0	0	0	0	1	2	.000	22 1/3	26	2	11	2	3	19	0	0	11	10	4.03
金田 和之	9	0	0	0	0	0	0	.000	10 1/3	8	3	5	0	2	6	0	0	5	5	4.35
竹安 大知	17	0	0	3	2	0	0	.600	48 2/3	48	4	19	0	1	26	0	0	26	24	4.44
増井 浩俊	15	0	0	3	6	0	0	.333	71	77	8	29	0	2	45	2	0	47	39	4.94
スパークマン	6	0	0	0	1	0	0	.000	17	15	4	8	0	1	14	0	1	13	13	6.88
阿部 翔太	4	0	0	0	0	0	0	.000	3 2/3	4	1	1	0	0	3	0	0	3	3	7.36
本田 仁海	2	0	0	0	1	0	0	.000	9 2/3	13	2	5	0	0	4	0	0	8	8	7.45
鈴木 優	11	0	0	0	0	1	0	.000	10	9	4	5	0	2	10	1	0	10	10	9.00
齋藤 綱記	4	0	0	0	0	0	0	.000	2 2/3	2	1	2	0	0	3	0	0	3	3	10.13
バルガス	5	0	0	1	1	1	0	.500	9	13	4	4	0	1	7	2	0	11	11	11.00
張 奕	8	0	0	0	1	0	0	.000	10 1/3	21	4	2	0	0	15	0	0	15	15	13.06
榊原 翼	1	0	0	0	0	0	0	.000	2 1/3	4	0	5	0	0	2	0	0	4	4	15.43

■個人打撃成績表 ※ー規定打席＝443打席以上

選手	試合	打席	打数	得点	安打	二塁打	三塁打	本塁打	打点	盗塁	犠打	犠飛	四球	故意四球	死球	三振	併殺打	打率	長打率	出塁率
吉田 正尚	110	455	389	61	132	22	1	21	72	0	0	3	58	6	5	26	9	.339	.563	.429
杉本 裕太郎	134	542	478	73	144	20	2	32	83	3	0	3	51	4	10	116	15	.301	.552	.378
福田 周平	107	471	408	47	112	14	1	1	21	9	10	2	43	0	8	52	6	.275	.321	.354
宗 佑磨	139	543	481	71	131	17	7	9	42	8	14	2	33	1	13	62	15	.272	.393	.335
紅林 弘太郎	136	473	448	37	102	22	2	10	48	2	6	4	12	0	3	101	11	.228	.353	.251
ラベロ	2	7	7	1	3	0	0	0	0	0	0	0	0	0	0	1	1	.429	.429	.429
山足 達也	53	39	33	8	9	0	0	0	1	0	2	0	4	0	0	5	0	.273	.273	.351
安達 了一	100	382	321	36	83	14	0	0	18	5	14	1	46	0	0	65	7	.259	.302	.351
T－岡田	115	407	357	45	86	16	1	17	63	2	0	5	35	4	10	86	2	.241	.434	.322
ジョーンズ	72	180	154	10	36	4	0	4	23	0	0	1	22	1	3	35	7	.234	.338	.339
頓宮 裕真	46	125	112	11	26	4	0	5	14	0	1	1	8	0	3	41	0	.232	.402	.298
モヤ	106	375	354	26	81	10	1	13	47	1	0	4	17	3	0	81	11	.229	.373	.261
伏見 寅威	91	262	238	21	52	11	1	4	25	0	5	2	14	0	3	39	5	.218	.324	.268
西村 凌	13	45	42	0	9	2	0	0	2	0	0	0	3	0	0	6	1	.214	.262	.267
若月 健矢	68	140	117	11	25	4	0	5	16	1	9	1	11	0	2	27	2	.214	.376	.290
中川 圭太	61	169	156	19	33	3	1	1	7	1	3	0	8	0	2	23	4	.212	.263	.259
来田 涼斗	23	76	71	5	15	3	0	2	8	1	0	1	3	2	1	30	1	.211	.338	.250
大城 滉二	49	71	61	4	11	3	0	0	5	1	5	0	3	0	2	14	2	.180	.230	.242
太田 椋	53	159	151	10	26	2	0	3	9	1	4	0	4	0	0	44	3	.172	.245	.194
ロメロ	20	80	77	10	13	2	1	3	9	0	0	0	2	0	1	31	1	.169	.338	.200
宜保 翔	33	28	25	4	4	2	0	0	1	0	1	0	1	0	1	7	1	.160	.240	.222
大下 誠一郎	15	27	25	1	4	0	0	1	2	0	0	0	1	0	1	7	0	.160	.280	.222
佐野 皓大	67	87	82	15	12	2	1	1	2	8	3	0	1	0	1	26	0	.146	.232	.167
西野 真弘	18	42	41	3	6	0	0	0	1	0	0	0	1	0	0	6	0	.146	.146	.167
後藤 駿太	56	17	16	3	2	0	0	1	1	2	0	0	1	0	0	6	0	.125	.313	.176
小田 裕也	101	18	15	18	1	0	0	0	0	5	1	0	1	0	1	4	0	.067	.067	.176
佐野 如一	10	9	8	0	0	0	0	0	0	0	1	0	0	0	0	5	0	.000	.000	.000
松井 雅人	10	7	7	0	0	0	0	0	0	0	0	0	0	0	0	2	0	.000	.000	.000
勝俣 翔貴	1	1	1	0	0	0	0	0	0	0	0	0	0	0	0	0	0	.000	.000	.000

■ウエスタン・リーグ公式戦勝敗表

チーム	試合	勝利	敗北	引分	勝率	差	ホーム	ロード	対阪神	対ソフトバンク	対中日	対広島	対オリックス	交流戦
阪神タイガース	106	65	34	7	.657	—	35勝17敗2分	30勝17敗5分	—	13勝13敗2分	12勝7敗2分	21勝6敗	18勝6敗3分	1勝2敗
福岡ソフトバンクホークス	109	65	40	4	.619	3.0	37勝22敗2分	28勝18敗2分	13勝13敗2分	—	16勝11敗	18勝5敗2分	18勝11敗	—
中日ドラゴンズ	101	48	50	3	.490	16.5	26勝20敗1分	22勝30敗2分	7勝12敗2分	11勝16敗	—	13勝13敗1分	17勝9敗	—
広島東洋カープ	105	39	63	3	.382	27.5	27勝23敗3分	12勝40敗	6勝21敗	5勝18敗2分	13勝13敗1分	—	15勝11敗	—
オリックス・バファローズ	111	37	71	3	.343	32.5	19勝29敗2分	18勝42敗1分	6勝18敗3分	11勝18敗	9勝17敗	11勝15敗	—	0勝3敗

■交流戦勝敗表

試合	勝利	敗北	引分	勝率	ホーム	ロード	対ロッテ	対巨人	対楽天	対ヤクルト	対日本ハム	対DeNA	対西武	対埼玉西武
阪神タイガース	3	1	2	0	.333	1勝1敗	0勝1敗	—	1勝2敗	—	—	—	—	—
福岡ソフトバンクホークス	0	0	0	0	.000	—	—	—	—	—	—	—	—	—
中日ドラゴンズ	0	0	0	0	.000	—	—	—	—	—	—	—	—	—
広島東洋カープ	0	0	0	0	.000	—	—	—	—	—	—	—	—	—
オリックス・バファローズ	3	0	3	0	.000	—	0勝3敗	—	—	0勝2敗	—	0勝1敗	—	—

■個人投手成績表 ※－規定投球回＝89回以上

選手名	試合	完投	完封	勝利	敗戦	引分	セーブ	勝率	投球回数	安打	本塁打	四球	故意四球	死球	三振	暴投	ボーク	失点	自責点	防御率
本田 仁海	18	1	1	2	10	0	0	.167	90 2/3	87	9	30	0	2	92	5	0	55	51	5.06
村西 良太	16	0	0	1	0	0	0	1.000	16	2	0	8	0	1	12	0	0	0	0	0.00
松山 真之	7	0	0	2	0	0	0	1.000	8	4	0	4	0	1	3	0	0	0	0	0.00
バルガス	1	0	0	0	0	0	0	.000	3 2/3	2	0	0	0	0	7	0	0	0	0	0.00
平野 佳寿	3	0	0	0	0	0	0	.000	3	0	0	2	0	0	2	0	0	0	0	0.00
澤田 圭佑	10	0	0	0	0	0	1	.000	10	7	0	1	0	0	9	0	0	1	1	0.90
中川 颯	41	0	0	2	2	0	1	.500	40	23	2	9	1	1	48	0	1	10	5	1.13
齋藤 綱記	49	0	0	1	1	1	1	.500	42 2/3	25	3	11	0	3	57	2	0	7	7	1.48
ヒギンス	6	0	0	0	0	1	3	.000	5 2/3	4	1	1	0	0	6	0	0	1	1	1.59
K－鈴木	10	0	0	0	1	1	1	.000	10	8	1	4	0	0	7	0	0	2	2	1.80
荒西 祐大	24	0	0	0	1	0	0	.000	26 1/3	31	0	3	0	0	17	0	0	7	7	2.39
阿部 翔太	10	0	0	1	1	0	0	.500	15	17	2	3	0	1	16	2	0	7	4	2.40
飯田 優也	26	0	0	0	0	0	0	.000	27 1/3	21	1	19	0	0	31	1	0	12	8	2.63
金田 和之	29	0	0	2	3	0	0	.400	28 2/3	30	1	15	1	0	30	4	0	17	9	2.83
海田 智行	27	0	0	1	2	0	0	.333	21 1/3	24	1	5	0	0	15	0	0	11	7	2.95
張 奕	31	0	0	4	5	0	6	.444	67	68	2	21	0	2	60	4	0	26	22	2.96
山﨑 福也	4	0	0	2	0	0	0	1.000	24	22	0	4	0	0	17	1	0	8	8	3.00
竹安 大知	9	0	0	1	2	0	0	.333	44 1/3	52	3	17	0	2	29	2	0	19	15	3.05
鈴木 優	25	0	0	0	1	0	0	.000	31	30	3	13	0	3	16	5	0	15	11	3.19
前 佑囲斗	7	0	0	0	1	0	0	.000	11	10	0	6	0	0	7	0	0	6	4	3.27
佐藤 一磨	4	0	0	0	3	0	0	.000	13 2/3	14	2	10	0	1	6	2	0	12	5	3.29
山﨑 颯一郎	13	0	0	1	5	0	0	.167	59 1/3	63	7	23	0	1	57	6	0	33	22	3.34
神戸 文也	19	0	0	0	0	0	0	.000	17 2/3	22	2	5	0	0	12	0	0	13	7	3.57
山岡 泰輔	5	0	0	0	0	0	0	.000	5	5	0	3	0	0	4	0	0	2	2	3.60
富山 凌雅	5	0	0	0	2	0	0	.000	4 2/3	4	1	0	0	0	6	0	0	3	2	3.86
東 晃平	18	0	0	5	9	0	1	.357	88 1/3	98	4	33	0	2	80	4	0	48	39	3.97
増井 浩俊	8	0	0	4	3	0	0	.571	36	36	3	9	0	1	34	0	0	18	17	4.25
比嘉 幹貴	7	0	0	0	1	0	2	.000	6	7	1	1	0	0	5	0	0	3	3	4.50
漆原 大晟	8	0	0	0	0	0	1	.000	8 2/3	6	1	5	0	1	6	1	0	5	5	5.19
山下 舜平大	18	0	0	2	9	0	0	.182	65 2/3	79	6	45	0	2	48	6	3	53	40	5.48
吉田 凌	17	0	0	1	1	0	1	.500	14 2/3	15	1	8	0	0	24	1	0	9	9	5.52
黒木 優太	17	0	0	1	0	0	2	1.000	16	22	1	6	0	1	15	2	0	11	11	6.19
山田 修義	5	0	0	0	1	0	0	.000	4 1/3	5	0	2	1	0	6	1	0	3	3	6.23
榊原 翼	14	0	0	4	1	0	0	.800	47 1/3	45	3	21	0	0	31	3	0	34	33	6.27
宮城 大弥	1	0	0	0	1	0	0	.000	4	4	0	1	0	0	4	0	0	3	3	6.75
川瀬 堅斗	2	0	0	0	0	0	0	.000	4	3	1	3	0	0	3	1	0	3	3	6.75
能見 篤史	1	0	0	0	1	0	0	.000	5	10	0	2	0	0	3	0	0	4	4	7.20
中田 惟斗	10	0	0	0	0	0	3	.000	7 2/3	13	0	8	0	0	6	1	0	11	9	10.57
スパークマン	2	0	0	0	2	0	0	.000	5	9	1	4	0	0	5	2	0	7	7	12.60
宇田川 優希	1	0	0	0	0	0	0	.000	2/3	2	0	2	0	0	1	0	0	1	1	13.50

■個人打撃成績表 ※－規定打席＝300打席以上

選手	試合	打席	打数	得点	安打	二塁打	三塁打	本塁打	打点	盗塁	盗塁刺	犠打	犠飛	四球	故意四球	死球	三振	併殺	打率	長打率	出塁率
来田 涼斗	89	336	321	33	82	16	4	2	26	5	6	0	1	13	0	1	89	3	.255	.349	.286
元 謙太	111	371	334	20	46	13	0	4	30	2	3	3	1	33	0	0	119	8	.138	.213	.215
モヤ	5	13	13	1	6	0	0	0	0	0	0	0	0	0	0	0	3	0	.462	.462	.462
若月 健矢	3	11	9	3	4	0	0	1	1	0	0	0	0	1	0	1	0	0	.444	.778	.545
紅林 弘太郎	2	6	6	0	2	0	0	0	0	0	0	0	0	0	0	0	1	0	.333	.333	.333
大城 滉二	4	12	10	2	3	0	0	0	0	0	1	0	0	2	0	0	4	0	.300	.300	.417
中川 圭太	17	69	58	10	17	6	1	0	4	2	2	0	0	11	0	0	3	0	.293	.431	.406
ロメロ	11	27	25	1	7	2	0	0	0	1	0	0	0	1	0	1	5	0	.280	.360	.333
中川 拓真	14	29	29	1	8	2	0	0	0	0	0	0	0	0	0	0	11	2	.276	.345	.276
後藤 駿太	37	111	98	12	27	3	0	2	10	2	3	0	2	11	0	0	24	2	.276	.367	.342
西村 凌	59	171	147	12	38	10	2	1	19	6	1	0	0	23	0	1	18	5	.259	.374	.363
ジョーンズ	2	4	4	0	1	0	0	0	2	0	0	0	0	0	0	0	1	0	.250	.250	.250
山足 達也	33	96	85	10	21	4	0	0	6	2	0	1	1	9	0	0	13	1	.247	.294	.316
佐野 皓大	43	166	150	12	37	6	1	0	9	14	9	0	1	14	0	1	34	2	.247	.300	.313
大下 誠一郎	72	239	193	26	47	14	1	2	15	1	0	10	2	27	1	7	27	2	.244	.358	.354
田城 飛翔	71	230	218	15	53	3	4	0	12	8	6	4	1	5	0	2	28	2	.243	.294	.265
佐藤 優悟	30	32	29	6	7	2	0	1	5	1	1	0	0	2	0	1	10	1	.241	.414	.313
平野 大和	32	85	83	7	20	4	0	0	4	1	0	0	0	2	0	0	17	3	.241	.289	.259
福田 周平	18	66	56	5	13	0	1	0	3	3	1	2	0	8	0	0	12	0	.232	.268	.328
宜保 翔	63	234	209	24	47	8	1	0	14	2	5	3	2	18	0	2	50	5	.225	.273	.290
西野 真弘	53	176	152	10	34	5	0	0	13	2	3	1	0	22	0	1	8	4	.224	.257	.326
松井 雅人	25	55	45	4	10	2	0	0	4	0	0	1	1	7	0	1	11	2	.222	.267	.333
勝俣 翔貴	70	214	197	15	43	8	3	1	17	0	2	1	1	14	0	1	52	4	.218	.305	.272
佐野 如一	91	290	245	19	50	7	0	3	20	5	9	7	1	34	0	3	62	3	.204	.269	.307
鶴見 凌也	25	38	35	6	7	2	0	0	3	0	0	0	1	2	0	0	9	1	.200	.257	.237
太田 椋	52	191	174	13	33	9	2	3	9	1	1	0	1	15	0	1	38	5	.190	.316	.257
フェリペ	59	135	115	8	21	7	0	0	8	0	0	6	1	12	1	1	42	0	.183	.243	.264
稲富 宏樹	31	60	55	2	10	3	0	0	4	0	1	1	0	3	0	1	10	1	.182	.236	.237
安達 了一	5	14	11	2	2	0	0	0	0	1	0	0	0	2	0	1	1	0	.182	.182	.357
岡﨑 大輔	62	124	114	10	20	1	1	1	17	0	1	3	0	7	0	0	22	4	.175	.228	.223
廣澤 伸哉	81	170	154	10	26	8	0	0	15	7	2	5	0	10	0	1	42	1	.169	.221	.224
頓宮 裕真	40	123	103	8	16	5	0	1	10	0	0	0	1	14	0	5	35	1	.155	.233	.285
釣 寿生	10	24	23	0	3	1	0	0	1	0	0	0	0	1	0	0	14	0	.130	.174	.167
古長 拓	11	10	8	0	1	1	0	0	0	0	0	0	0	1	0	1	1	0	.125	.250	.300
T－岡田	3	9	8	1	1	0	0	1	1	0	0	0	0	1	0	0	1	0	.125	.500	.222
小田 裕也	3	12	10	2	1	0	0	1	1	0	0	1	0	1	0	0	1	0	.100	.400	.182
ラベロ	3	9	6	0	0	0	0	0	0	0	0	0	0	1	0	2	0	0	.000	.000	.333
宗 佑磨	2	7	4	1	0	0	0	0	1	0	0	0	1	1	0	1	1	0	.000	.000	.286
吉田 正尚	2	5	4	0	0	0	0	0	0	0	0	0	0	1	0	0	0	1	.000	.000	.200
杉本 裕太郎	1	3	1	0	0	0	0	0	0	0	0	0	0	2	0	0	0	0	.000	.000	.667
伏見 寅威	1	2	1	1	0	0	0	0	0	0	0	0	0	1	0	0	0	1	.000	.000	.500
西浦 颯大	1	0	0	0	0	0	0	0	0	0	0	0	0	0	0	0	0	0	.000	.000	.000

TOGETHER
ORIX
Buffaloes
24
55
TAJIMA
29
2022 GO ALL TOGETHER
Buffaloes
DESCENTE
Buffaloes

ORIX BUFFALOES 2022

【発行】
オリックス野球クラブ株式会社

【発行日】
2022年3月25日

【発行所】
オリックス野球クラブ株式会社
大阪府大阪市西区千代崎3-北2-30

【発売】
メタ・ブレーン
〒150-0022
東京都渋谷区恵比寿南3-10-14-214

【制作】
ベースボール・タイムズ編集部

【編集】
大槻 美佳
松野 友克
三和 直樹
渡邊 幸恵
元木 風羽

【取材・原稿】
大前 一樹

【写真】
松村 真行
金田 秀則
近藤 駿
花田 裕次郎
村本 万太郎
塙 新平

【デザイン】
アイル企画
方城 陽介
平松 剛
岡村 一輝
太田 育美
星野 由夏
武本 朔弥
邱 美幸

藤井 由佳

【印刷】
凸版印刷株式会社